集英社文庫

自讃《じさん》ユーモアエッセイ集《しゅう》　これが佐藤愛子《さとうあいこ》だ　8

2007年8月25日　第1刷　定価はカバーに表示してあります。

著　者　佐藤愛子《さとうあいこ》
発行者　加藤　潤
発行所　株式会社　集英社
東京都千代田区一ツ橋2-5-10　〒101-8050
電話　03-3230-6095（編集）
03-3230-6393（販売）
03-3230-6080（読者係）
印　刷　中央精版印刷株式会社　株式会社美松堂
製　本　中央精版印刷株式会社

フォーマットデザイン　アリヤマデザインストア　マークデザイン　居山浩二

ISBN978-4-08-746207-4 C0195

集英社文庫　目録（日本文学）

庄司圭太　獄門花暦《ごくもんはなごよみ》　花奉行幻之介始末
庄司圭太　火　札　十次郎江戸陰働き
庄司圭太　紅　毛　十次郎江戸陰働き
庄司圭太　死神記　十次郎江戸陰働き
城島明彦　新版　ソニーを踏み台にした男たち
城島明彦　新版　ソニー燃ゆ
白石一郎　南海放浪記
城山三郎　臨3311に乗れ
新宮正春　陰の絵図(上)(下)
新宮正春　島原軍記　海鳴りの城(上)(下)
辛酸なめ子　消費セラピー
真保裕一　ボーダーライン
真保裕一　誘拐の果実(上)(下)
水晶玉子　自分がわかる、他人がわかる　昆虫&花占い
関川夏央　昭和時代回想
関川夏央　石ころだって役に立つ

関川夏央　新装版　ソウルの練習問題
関川夏央　「世界」とはいやなものである　東アジア現代史の旅
関口　尚　プリズムの夏
瀬戸内寂聴　ひとりでも生きられる
瀬戸内寂聴　私　小　説
瀬戸内寂聴　女人源氏物語　全5巻
瀬戸内寂聴　わたしの源氏物語
瀬戸内寂聴　あきらめない人生
瀬戸内寂聴　愛のまわりに
瀬戸内寂聴　寂聴　生きる知恵
瀬戸内寂聴　いま、愛と自由を
瀬戸内寂聴　一　筋　の　道
瀬戸内寂聴　寂　庵　浄　福
瀬戸内寂聴　寂　聴　巡　礼
瀬戸内寂聴　晴美と寂聴のすべて1（一九二二～一九七五年）
瀬戸内寂聴　晴美と寂聴のすべて2（一九七六～一九九八年）

曾野綾子　アラブのこころ
曾野綾子　狂王ヘロデ
デビット・ゾペティ　いちげんさん
高樹のぶ子　ゆめぐに影法師
高　倉　健　あなたに褒《ほ》められたくて
高　倉　健　南極のペンギン
高嶋哲夫　トルーマン・レター
高嶋哲夫　M8《エムエイト》
高　杉　良　管理職降格
高　杉　良　小説　会社再建
高　杉　良　欲望産業(上)(下)
高野秀行　幻獣ムベンベを追え
高野秀行　巨流アマゾンを遡《さかのぼ》れ
高野秀行　ワセダ三畳青春記
高野秀行　怪しいシンドバッド
高野秀行　異国トーキョー漂流記

自讃ユーモアエッセイ集

これが佐藤愛子だ 8

佐藤愛子

集英社文庫

目次

自讃ユーモアエッセイ集
これが佐藤愛子だ 8

◆キーワードで見る当時の世相◆

平成5年　コギャルが登場

ミネラルウォーターの売れ行きが、5年間で4倍近い伸びを示す。河川が汚れ、都会では塩素の投入でカルキ臭くなっている水道水を飲まなくなった影響。地球環境汚染が問題化。
高校生ギャルの略「コギャル」とは、クラブ遊びなどを楽しむティーン・エイジャーの女の子をさす言葉。彼女たちの必需品はポケベル。小金を持った若者が、流行を作り出す消費社会の中心に。

平成6年　松本サリン事件で死者7人

長野県松本市で毒ガス「サリン」を使った事件が発生。7人の死者が出る。第一通報者の河野義行氏を容疑者として報道したマスコミ各社、県警は、後に冤罪とわかり謝罪。オウム真理教による事件だった。

平成7年　オウム真理教の麻原彰晃代表逮捕

3月、首都東京の地下鉄構内で、オウム真理教によるサリンを使った無差別殺人テロ発生。12人が死亡。
5月、警視庁がオウム真理教の麻原彰晃代表を殺人容疑などで、山梨県上九一色村の教団施設内で逮捕。独善的な教義を妄信した結果の無差別大量殺人事件。

「個性的」結婚式

娘の結婚披露宴は、実に「個性的」だったと出席してくれた友人たちはみないう。「個性的」にもいろいろあるが、この場合は「フツーでない」というような意味を、いささか上品に表現したものだと思ってもらえればいい。

しかし、私は別だん「個性的な結婚披露宴」をしようと考えたわけではないのだ。よろず形式的なことが苦手な私は、内心、「結婚式！　チェッ！　メンドくさいなあ。かなわんなあ」と思っているが、母親がメンドくさがりなので、披露宴はやめたい、などといって破談になっては娘に申しわけがないので、娘のために我慢しようという気になっているだけである。考えてみれば結婚式が「フツーでない」のは、この母親が「フツーでない」ことに原因があるのだった。

さて、結婚式がどんなふうに「フツー」でないかというと、何しろ当方は父親なしの母親だけ。その上親類といっても、みんな死んでしまったり、メンドくさがるのが(血統的に)いたりで、僅《わず》かにかき集めたのが五人という淋しさである。

それに引きかえ、ムコどのの方は、なんと二十人以上という壮観さである。式場で向き合って親戚の紹介があるが、その椅子《いす》の数が、ムコどのの側は足りない。やむを得ず、ムコどの側の親戚のシッポが、我が方の側に座っているというあんばいだ。これがもし、ケンカ出入りか、にらめっこ合戦だったら、こっちはボロ負けに負けるわね、と傍《そば》の姪《めい》にいうと、いや、おばさんは十人力だから大丈夫よ、と答える。そういうあんたも五人力くらいはあるわね、と神聖なる結婚式場でこういうことをいったりしているところが「個性的」なのであろうか。

披露宴の招待客は二百人ほどだが、三分の二はムコどのの側のお客さんである(ここでも合戦となれば我が軍は不利なり)。ムコどのの側は真面目な実業家揃《ぞろ》いであるから、おのずから祝辞も真面目なものである。真面目が過ぎて、自分の会社の宣伝に力が入り、延々とつづいて終わらない。

後で聞いたところでは、それが世間並みの「フツーの」祝辞なのだそうだが、何しろこちらはフツーでない私の、フツーでない友達がお客になっているのだ。

「長いねえ」とか、

「もういい。わかった」

などという私語がそこここに交わされ、仕方なく私はメインテーブルの遠藤周作さんのところへ使者を送った。

「つまらんから、面白うしてちょうだい」

と書いたメモを渡させる。それに対して遠藤さんから「ナンボ出す?」という返事が来る。

そのうち遠藤さんはスピーチの指名を受けてやおら立ち上がり、開口一番、

「みんな、メシを食ってはいかん!」

一座驚いて皿の音は一瞬やむ。すかさず傍のテーブルから北杜夫《きたもりお》さんが訊《き》いた。

「酒は?」

「酒はよろしい……」

どっと笑いが流れ、「フッー」の披露宴は瞬時にして「フッーでない」空気に変わったのであった。

「小説なんかを書く人間は、みんなおかしな人であります」

遠藤さんのスピーチはそんなふうに始まった。

「ここにいる北杜夫さんもおかしいし、河野多恵子《こうのたえこ》さんも中山あい子さんもみなおかしい。その中でも一番おかしいのは、今日の花嫁の母、佐藤愛子さんでありまし

て、杉山さん、これから、この人をお姑《かあ》さんと呼ぶのは、たいへんですぞ」

客席に笑いが流れ、私はその「フッーでなさ」に安心し、リラックスし、俄然《がぜん》、この結婚式がこの上なく楽しくめでたいものになったのであった。

「私は昔、中学生であった頃、女学生であった佐藤愛子さんに憧《あこが》れ、何とかして彼女の関心を惹《ひ》こうと、電車の吊《つ》り革にぶら下がって猿の真似《まね》をして、バカにされたものであります」

とまたしても、例のデタラメがはじまった。

「今、思うと私はオロカ者であったと思います。あんな猿の真似をしたりしなければ、今日はこの披露宴の父親の席に座っていたと思うんですが」

笑いの渦の中で最後に遠藤さんはいった。

「最後に私から花婿にお願いがあります。どうか、佐藤愛子さんを、この厄介な人をよろしくお頼みします」

花嫁をよろしく頼む、というのがフッーであろうが、花嫁のおふくろをよろしくというのもフッーでなかろう。ステージの上の花ムコの席に座っていたムコどのの方を見ると、ムコどのは遠藤さんの方に身体《からだ》を向けて、おもむろにかけていたメガネを外してテーブルの上に置いた。どうするのかと見ているとそのますますましてい

る。

「あのとき、どうしてメガネを外したの？」

後になってその時のことを訊くとムコどのはいった。

「かしこまりました、という気持ちを表したつもりだったんです」

私は呵々大笑《かかたいしょう》した。何という純真、何という真面目さ。

そして真面目なままにどこか「フツーでない」ところが私はうれしい。

理想のムコ

娘と結婚するに当たって、我がムコどのの一番の心配は、うるさがたと悪評高きこの母親といかにつき合うか、どうしたら気に入られるかということであったらしい。

娘と婚約した後、彼は娘に向かって、

「お母さんは、どんな男が気に入るんだろう？」

と心配していたらしい。

そこで娘は『娘と私の時間』という、私の旧著を一冊、彼に与えた。その中に「理想のムコ」という一篇があって、私はこんなことを書いているのだ。

「ママは私の結婚相手として、どんな男を好む?　と娘が訊いた。

私はこういう質問はニガテである。こんな時、心の優しい人とか、男らしい人とか、責任感のある人などと簡単に答える人がいるが、心が優しいといってもいろいろある。

いつもいうことだが、ただ優しけりゃいいというものじゃない。優しくてイクジなしというのもいれば、優しくてケチというのもいる。若い女には優しいが、バアサンには優しくないというのもいる。

男らしいと一口にいっても、豪放磊落《ごうほうらいらく》、カンラカンラと笑いながら悪事を働くのもいるし、また男らしくて無能、怠け者というのだっている。

また責任を持つ人といっても、ひょんなことで浮気をし、その浮気相手に責任を感じるあまり、家庭を乱すという場合だってあるだろう。

だから私はどんな男、こんな男と簡単にいいたくないのだ」

という前置きから始まって、具体的には、

「アンマの趣味をもっていること」と私は書いている。

「すまないけど、ちょっと肩を揉《も》んでくれない」」というより先に、向こうから「すみません、アンマをさせて下さいませんか」という人。つまり、おつとめ心ではなく、アンマが趣味、アンマをさせて下さいませんかという人。「もういいわ、どうも有難う」といくらいっても、「お願いです、もう少しさせてください。もう少し、もう少し……」としつこくやりたがる人。それこそ理想のムコさんである、と。


やがて二人は結婚し、ある日、揃って私の家へ遊びにきた。と、突然、ムコどのはいった。

「お姑《かあ》さん！　アンマをしましょうか……いや、させて下さい！　アンマを……」

藪《やぶ》から棒の申し込みに私は「えっ！」と驚きつつ喜んだ。

「そう？　して下さる？」

「ハイッ、させて下さい！」

「じゃあお願い」

とアンマが始まったが、いや、その力の強いの強くないのって、ムコどのは一メートル八十近い大男、しかもヒョロヒョロではなく、肉厚、胸毛モジャモジャ、腕まで剛毛に覆われている。その太い腕が私を力まかせに押さえつけ、恰《あたか》も岩見重太郎《いわみじゅうたろう》のヒヒ退治という趣になってきた。

「わア！　凝《こ》ってますねえ！　まるで板だ。コンクリートだ！」

そういってムコどのは一心不乱。

「どうですか？　ききますか？　もっと強くしますか？」

「うんッ……うん……あア……うン！」

としか私は答えられない。

「あ、ありがとう……も、もう……いい……」

息もたえだえ、辛《かろ》うじて声を出すが、ムコどのの耳に入らばこそ、

「いやア、すごいですねぇ。小説を書くということは、たいへんなことなんですねぇ……あ、もうちょっとやらせて下さい。お願いします……お願いします……」

私の戯文《ぎぶん》をそうマトモにとることはないのだ。あれは、そのう……もののはずみに書いたことで、そんなに正直一途《いちず》に……うんッ……うッ……うッ……。

「も、もういいです。ホント……たくさん……ホントのホント……」

必死の懇願。

「そうですか？　ほんとにいいんですか？」

「ホント、ホント、ホン……ホン……ト……」

ムコどのは漸《ようや》く手を放し、私はほっとひと息。暫《しばら》くは口も利けぬ。

「やあ、しかし、うれしいですよ。こうしてアンマさせていただいて……」

「ありがとう……」

というのも口の中。アンマをしてもらってヘトヘトになるというのも珍しい。

アンマのお礼にと、私は台所に立って料理の腕をふるった。ムコどのは気どった西洋料理よりも、日本の惣菜《そうざい》料理風のものが好きである。西洋料理は娘に負けるが、惣菜料理ならば腕は確かだ。煮物、焼物、あれやこれやとどんどん作った。

「おいしいな、おいしいな……」

ムコどのはパクパク食べる。テーブルの上の皿が次々と空になっていくのがまことに爽快《そうかい》だ。

「おかわり、どう？　まだ沢山《たくさん》あるのよ」

「そうですか。じゃいただきます……」

何を隠そう、私も女学生時代は大喰いで有名だった。トロロ汁をご飯にかけて七杯食べ、胃袋に心臓が圧迫されて息が出来なくなり、仰向けにひっくり返って泣いたことがある。ムコどのがウワバミのごとくに食べるのを見ていると、消え去った若き日の栄華(?)が思い出され、懐かしくもあり哀しくもあり、また頼もしく嬉《うれ》しい。

ムコどのはどんどん食べる。私はどんどん作る。やがてムコどのは、

「うーん、食ったア……」

というなりノビてしまった。

なにもノビるほど食べなくても、と私はいったが、そのうち思い出した。『娘と私の時間』の中の「理想のムコ」の一節の中にこんな箇所があったことを。

「『それから少食の男はダメね』

私は食膳に残ったおかずを勿体《もったい》ないと思ってはムリに食べ、そのためかトミに下腹が出て来た。大食漢のムコさんが来れば、その代りをやってくれる」

メカタはなんぼ？

結婚前は痩《や》せていた娘がだんだん太りはじめた。来るたびに前より太っている。

「太ったねえ」

というと、

「うん、太った」

頷《うなず》いて平然としている。以前は太ったとでもいおうものなら忽《たちま》ち顔色が変わって、
えーッウソオ、ホントオ、とうるさかったものである。それが今は、

「何キロあるの？」

「知らない。量らないから」

というだけである。量らないのは量るのがコワイからかもしれないし、達観した
ためかもしれないし、ヤケクソになっているのかもしれない。

「ねえ、量ってみたら？　量りなさいよ」

といっても、知らん顔をしている。ヘルスメーターは二階の私の寝室つづきの納《なん》

戸《ど》にある。十年以上も前に洋服屋のお歳暮に貰《もら》ったもので、上がるとなぜかガタンと音がする。娘時代、娘は寝る前に必ず私の寝室へやってきて、

「ごめん、体重、量らせて」

といって納戸へ入って行ったものだ。ガタンと音が聞こえてきて、やがてニンマリと現れる。ニンマリの時は理想の体重に変化のない時で、そうでない時は、

「ウッソオ」

と叫んで出て来た。

「おかしい、増えてる！　なぜだ？」

不治の病を宣告されたような顔になっていた。

娘が嫁に行った時、私が一人ぽっちになったことを実感したのは、この夜の「ガタン！」を聞かなくなったことに気がついた時である。

娘が痩せることに腐心していた頃、私はよくいっていた。

「なによ、この頃の娘はどれもこれも痩せたい痩せたいの骨皮スジ子。それが魅力的だと思ってるんだから呆《あき》れてモノがいえないわ。若い女はふっくら、ぽっちゃりしていなければネウチないのよ」

その私が「あんた、ちょっと痩せた方がいいんじゃないの？」といいたくなって

きたのだ。今までのスカートは合わなくなったといって、バカでかいフレアスカートを穿《は》いている娘の姿は、何かの映画で見たオランダの洗濯ばあさんという趣である。見ているうちに、これはいったい何キロだ？　という興味に駆られてくるほどの太りようだ。

「いったい何キロあるのよ。量ってるんでしょ？　いいなさいよ」

いくら迫っても娘は、

「知らないったら知らないよう。量ってないんだから」

しつこく頑張る。知らない筈《はず》はない。どこかでこっそり量っているのにちがいない。なのにいわないということは、あっと驚くような目方なのだろう。そう思うとますます好奇心が疼《うず》いて、

「知ってるんでしょ？　教えなさいよ。なぜ教えないの、知ってるくせに！　イジワル！」

摑《つか》みかかりたくなった。

私はムコどのにいった。

「キョーコ、太ったわねえ」

「はあ、太りました」

ムコどのは悠然たるものだ。

「何キロあるの?」

「さあ?……」

「六十は軽くあるわね? 六十三? 四? 五?」

「ハハハ、さあ?……」

「聞いてないの?」

本当は知っているのにいわないんじゃないか? 夫婦してイジワルをしているのか!

「太った女性って、ぼく、わりに好きなんです」

好きなのは結構だけど、いったい何キロ? えっ? 何キロなのよッ!

ムコどのは、「アハハ……さあ?」とくり返すのみである。

私は出入りの人から「お嬢さん、おめでたですか?」といわれた。

「いや、妊娠ではないんです。ただ太っただけなの」

「えっ、太ったんですか。まあ……」

と皆、感心している。

「よほど幸せなんですね」

「うるさいお母さんから離れてノビノビしたんでしょ」

といいにくいことを平気でいう人もいる。

ある日、整体のU先生のところへ二人で行った。病院嫌いの私は健康保持の目的で月に二度、整体操法を受けている。U先生は娘の身体に手を当てていわれた。

「おや、おめでたじゃありませんか？」

「はあ？　そうですか？」

娘はキョトンとしている。

「生理はどうですか？」

「はあ、ええとオ……」

暢気《のんき》というかアホンダラというか、我が娘はそれを忘れているのだ。一度、診察してもらいなさい、といわれて、病院へ行った。帰ってきて、

「ママ、四か月だって」

「エーッ、四か月！　だってツワリは？」

「べつに何ともないんだもんねえ。だからわからなかったんだ……」

「じゃあ、太ったわけじゃなかったんだ！」

「両方でしょ」

娘はすましている。

娘は四か月でもう妊婦服を着ている。身体を動かした方がいいわよ、赤ちゃんが大きくなるとお産がたいへんよ、と皆いう。私は心配になってU先生にいった。

「先生、四か月にしては胎児が大きくなりすぎてやしませんか?」

U先生はいわれた。

「これは胎児じゃありません。脂肪です」

それにしてもいったい何キロあるのか。私はそれが知りたくてたまらぬ。

ふしぎなハナ

妊娠して月が進むと、体型が変わるばかりでなく、例えば眉《まゆ》が薄くなるとか、髪の毛が抜けて額がせり上がるとか、顔がむくむとか、人によっていろんな変化が起きるものである。

日進月歩の現代医学の恩恵に浴している今の若い妊婦は、私などの時代よりも変化は少ないだろうが、それでも「あの美人があああなるんだもの、妊娠ってすごいことだわねえ」という声を聞く。妊娠出産は女にとって試練鍛練の場なのである。これを通過することによって、女は度胸が座る。キレイもヘッタクレもあるかいな、という気になる。美しく見られよう、見られたい、なんてことよりも、もっとさし迫った重大事の前に身を置いているのだ。この重大事を乗り越えることによって一枚、また一枚と余計なものを脱ぎ捨てていく。それが母になるということなのであろう。

ところで、はるか昔、私が娘を孕《みごも》った時、頭のそこここに円型のハゲが出来た。一つ出来、また一つ出来、またまた一つ出来、最初のハゲをA、次のをB、その次をCとすると、A、B、Cともに少しずつ成長してやがてAとBがつながって、ABとなり、次第にCに攻め寄ってCをも占領するという、（つまりだんだん大きくなる）惨状を呈した。

このABCハゲが一生治らなかったらどうしよう！　と心配していたが、なんと出産の二、三日後からモソモソと生毛《うぶげ》が生えはじめ、みるみる伸びた。ハゲている間は他の毛髪で隠すことが出来たが、そのうち一センチ二センチと伸びてくると、そやつがブラシのようにピンとおっ立って、頭のところどころにクリのイガ、あるいはウニのイガがつき出ているというあんばい、更にいうならば草山の灌木《かんぼく》という趣になったのであった。

娘の妊娠がわかった時、もしかして母の体質を受けていて、A+B+C型ハゲに悩むのではないかと私はひそかに心配していた。だが娘の髪は抜けていく気配を示さず、ほっと安心したのも束《つか》の間《ま》、なんと、娘のハナが赤くなってきたではないか。それに気がついたのは寒い時分だったから、寒さのために赤くなっているのかと思っていたのだ。

ところが暖かくなってもまだハナは赤い。赤いだけでなく、テラテラと光っておる。

「あんた、ハナ、どうしたの?」

ある日、ついに私は訊《き》いた。気づかずにいるのなら、なるべく余計なことはいわない方がいいと思いつつも、いわずにいられぬほどのハナなのである。ところが娘は平然といった。

「ああこれ? 妊娠するとアブラぎってくるのよ」

あんまり平然というので、私は「ふーん」といったきり黙った。

変われば変わるものである。これが娘時代だったらどうだろう。明けても暮れても娘の頭には「光る赤ハナ」がこびりつき、鏡を見ては、

「ああ、なんでこんなハナになったのかしら。ねえ、どうしてなの？　どう思う？　ああどうしよう、なんとかならないの……」

といい暮らしてハナをいじくり廻すものだから、ハナはますます赤く膨張してテラテラと光るようになり、親の私はどうすることも出来ず、ただハラハラと赤ハナを見守り……いや、それも正面からマジマジと見つめると刺激するから、見ないふりをしながらこっそり横目で観察しては胸がつぶれる。ついには、こらえ切れず、

「なんだ、ハナの赤いくらいでワアワアとうるさいッ！　たかがハナじゃないか、何を騒ぐ！」

と怒鳴って親娘断絶の端緒となりかねないのである。

ところが今や娘は泰然自若、

「妊娠するとアブラが浮き出るのよ」

ああ、母になるということは、まことに偉大である。光る赤ハナをファンデーションで隠そうともせずに、平気で出歩いている。私はその娘を見て、

——だんだん強くなっていくね！

感動せずにはいられない。

感動は私に安心をもたらし、安心は私をして大胆ならしめる。

「アブラが浮くというのはわかるとしても、赤くなるのはどういうわけだろう?」

などといってしまう。

「昔、近所に石井のオッサンという大工さんがいたけれど、その人もハナが赤かった。ただ赤いだけでなく、苺《いちご》のようにブツブツと黒いテンテンがあったけど、まさか、そうなるんじゃないだろうね?」

とか、

「ちょっと、よく見せて。赤いだけでなく、ダンゴになってきてるみたいだよ。ふくらんできてる……」

などといっても娘は、

「またまた。すぐ調子にのってそんなことをいう……」

と取り合わない。

だが本当にハナは大きくなっているのだ。いったいムコどのはこのハナについてどう思っているのだろう?　私は質問した。

「ヒロユキさんはなんていってる?」

「なにが?」

「そのハナについて、何もいわないの?」

「そのことなら早くからいってるわよ」

「なんて?」

「ハナが赤いね、どうしたの、って」

「それだけ?」

「そうよ」

なんだ、面白みのない男だなア。娘はいった。

「ママみたいに、人のハナが赤いの、光ってるの、ダンゴになったの、今に苺みたいになるんじゃないかなんて、いろいろいって楽しむような人じゃないのよ」

べつに楽しんでいるわけじゃないのだが、しかし見れば見るほどふしぎなハナだ。

これは出産すると同時に、私のABCハゲみたいに、モトに戻っていくのだろうか? その戻っていく経過をじっくり観察するのを私は今から楽しみにしている。

ハレ目ふんばりバナ

八月十一日、午前十時四十一分、予定より二十日遅れの赤ン坊がやっと生まれた。三七〇〇グラムの女の子である。

夜中の二時に起こされてムコどのと共に病院へ駆けつけ、朝まで寝ずにつき添っていた私は、漸く娘が予備室から分娩《ぶんべん》室へ移ったので病室に引き上げてソファに座り、疲労困憊《こんぱい》、ただ痴呆《ちほう》のようにボーッとしていた。そこへいきなりドアーが開いて、

「生まれましたよ！　元気な女の子ですよ！」

というドクターの嬉《うれ》しそうな顔が現れ、私は疲労のどん底で我が耳を疑い、

「へえ？　女の子ですか？」

ホントに？　という気持ちで訊き返してしまった。私は男の子だとばかり思っていたのだ。

娘が妊娠中、我が尊敬する整体のU先生が、「このお腹の様子では男の子のよう

に思えますけど、もし女の子だった時は男の子のような女の子でしょう」といわれたことが頭に刻み込まれていたのだ。

だが実のところ、女の子でほっとした。手に負えぬ女になるか、頼もしい女になるか、将来が楽しみである。凡庸の幸せよりは波瀾《はらん》を越える幸せに私は価値を置く。自然に与えられた幸福よりは、自力で掴む幸福の方がより充実していると思うからである。

病室を出て分娩室の方へ廊下を歩いていくと、ムコどのが中から出てきた。ムコどのはご苦労さんにも分娩に立ち会っていたのである。女房の一夜の苦闘につき合ったムコどのは、げっそりやつれていい男になっている。だいたいこの人はやつれるとハンサムになる人で、

「やつれハンサムヒロユキさん」

というキャッチフレーズをかねてより私はムコどのに捧げているのである。

「生まれましたか？」

「生まれました」

「キョーコは？」

「元気です」

ムコどのはいった。

「ぼく、キョーコの頭のところに立って上から顔を見守っていたんですけどね。あの妊娠中のギラギライライラした顔が、産んだとたんに、スーッと変わりました。いやあ、おどろいたなあ。みるみる、何ともいえない平和な顔にね、スーッと変わったんですよ……」

すぐ私は訊いた。

「で、赤ハナの方はどうなりました?」

「いや、それは……まだ変わりません……」

「平和な赤ハナってわけね」

「はあ、そういうところです」

とムコどのは諦《あきら》め顔に笑ったのだった。


私の若い頃は、生まれたての赤ン坊というものは、どれもみなシワシワで真っ赤、どんな顔もこんな顔も形容出来ない、総じて「サルの親戚」ふうだった。だから出産祝いに行くと私はいつも挨拶に困ったものだ。

「さあさ、見てやって下さい」

といって赤ン坊をさしだされても、とっさにホメ言葉が浮かばず、心にないことをいうには心の用意が必要な私は、何かうまいことをいわねばという思いで頭が混乱し、

「はあ……なるほど……赤ン坊というだけあって赤いですねえ」

などと口走る不器用さ。

折よく赤ン坊がオギャアオギャアと泣き出してくれたので、

「やあ、元気元気。泣き声に力があります！」

ほっと息を吹き返し、ついでにおしめを取り替えるところを覗《のぞ》き込んで、

「うーん、ウンコの色がいいです！　結構結構」

顔が褒められないからウンコでも褒めるしかないのだった。

人間の赤ン坊がサルの親戚ふうだったのは、昔は母親の栄養が足りないためだったのだろう。だからシワシワで毛髪はポヤポヤ、指など絶対開かぬぞ、といわんばかりに固く手を握りしめ、目もかたくなに閉じたまま、ポッチリ開けるのは一週間ばかり経《た》ってからだった。

ところが今の赤ン坊はどれもみな、手を握りしめていない。ダラーッと指を開き、髪は黒々、目も生まれたばかりだというのに開けたり閉じたり、時々ウス目を使っ

たりしている。新生児室に並んでいる赤ン坊たち、どれを見てもサルの親戚ふうはいなくなった。それぞれはっきりした目鼻立ちをしており、色白で、赤いのは見当たらない。

我が赤ン坊が新生児室に「陳列」されたというので、丁度、来合わせたムコどのの両親と一緒に新生児室へ出向いた。勿論《もちろん》中には入れない。廊下側の窓のカーテンが四時になると開けられる。その時にガラス越しに見るのである。

「まあ、可愛い！　この子は美人になりますよ、目が切れ長で……」

と母君がいえば、

「耳が福耳だな。これはカネモチになるぞ」

と父君。

私は胸の中で、

——腫《は》れ目の踏んばりバナ！

と思う。

「ハナはぼくのと同じだ」

とムコどのはいい、

「うんッ！　これでついにオレもオヤジになったぞ！」

とひとりで感激しているのであった。

窓の前は大勢の見物人が群れている。

「おや、ここに三七〇〇グラムって子がいるよ、うちのも大きいと思ったけど、それよりも大きいのよ、こっちの方が」

という声が聞こえる。赤ン坊のおくるみの上には、母親の名前と生まれた日時と体重を書き込んだカードがつけられているのだ。そのおばあさんはどうやら、目方で赤ン坊の値うちを決めている人のようで、

「こっちの子は二八二〇だよ、やっぱり小さいねえ。ふンふン、これで二三〇〇ね、こっちは？」

スーパーの肉のパックの品定めじゃあるまいし。

ムコどの、父君、母君は飽かずに眺めている。私はもうヘトヘトだ。もう少ししたら娘が病室へ戻ってくると聞いたが、会わずに帰ることにした。

ムコどのが拾ってくれたタクシーで帰宅する。女性編集者のMさんが電話をかけてきた。

「キョーコさん、いかがですか？　生まれましたか？」

「ええ、今朝、十時四十一分に女の子が生まれました」

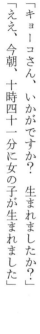

「あらまあ、それはおめでとうございます。どちら似です？　それともおばあちゃん似？」

そんなこと、生まれたばっかりでわかるわけがないのだ。私はいった。

「今のところ腫れ目の踏んばりバナですよ！」

「あらまあ、そんなことおっしゃって……」

Mさんは仕方なさそうに、

「先生らしいおばあちゃまぶり」

そういって電話を切ったのであった。

第二章　戦いやまず日は西に

海竜社刊
平成七（一九九五）年
著者七十二歳

◆キーワードで見る当時の世相◆

平成５年　国連ボランティア中田さん射殺

皇太子妃に小和田雅子さんが内定。外務省北米二課勤務の29歳。上級公務員や外交官試験を受験する女性が増える「雅子さん現象」が起きる。マスコミの超過熱報道現象も。

国連ボランティアの中田厚仁さん（カンボジア選挙監視員）が武装ゲリラに射殺される。また、ＰＫＯ要員の高田晴行警部補が、襲撃されて死亡。

平成６年　向井千秋さん「コロンビア」に搭乗

アメリカのスペースシャトル「コロンビア」に日本人女性としては初めて向井千秋さん搭乗。女性進出の目ざましさを示す。

この年、２回もの政権交代。1947年の片山内閣以来47年ぶりに社会党政権誕生。

平成７年　阪神・淡路大震災発生

１月、阪神・淡路大震災発生（マグニチュード7.3。神戸は震度６の烈震）。死者6000人以上、戦後最悪の災害に。国の危機管理の不十分さが指摘される。

東京都・大阪府の知事選挙で、無所属候補の青島幸男氏と横山ノック氏が、政党推薦候補を破って当選。

無知無恥時代

カンボジアでボランティア活動中に射殺された中田厚仁《なかたあつひと》さんの父君がテレビでコメントされる姿を見て、私はここ数十年の間にかき消えてついに滅び去ったかと思っていたかつての「日本の父、日本の男子」が、いまだに残存していたという驚きと感動を覚えずにはいられなかった。まさに絶滅寸前とされているイリオモテヤマネコを発見した動物学者の感激、といったものであった。

「こういう事態が起こるかもしれないことは覚悟していました。希望していた国際貢献が全うできて本人も思い残すことはないでしょう」

そう語る中田氏の口辺《こうへん》には微《かす》かな微笑さえ湛《たた》えられていたのである。

ところがその夜、テレビ界屈指の人気キャスターと目されている人が、中田氏の記者会見のビデオフィルムが流された後で、

「こういう時にあんなふうにニコニコ笑えるもんですかねえ……」

そういって、ちょっと小首をかしげる素ぶりをした。その時は「またまた、この男はさりげなく皮肉をいって悦に入っている。いつもいつもお軽いやつだ」と思っただけだったが、その後、朝のワイドショウなどでも「少しカッコをつけすぎる」といった中田氏への疑問や批判があったと聞いて私は不愉快になった。そこへもってきてビートたけしが「こういう立派なことをいわせる（いわねばならぬと思わせる）社会の方に問題がある」というのを聞いて改めて腹が立ってきた。

確かにかつての日本には心にもない建前をいわねばならぬという社会風潮があった。「お国のため陛下のおんために死んできます」と戦地へ赴く兵士が挨拶したことなどそうである。海軍では戦死者の遺族は「お国のために死んで本人も本望でございましょう」と弔問客に挨拶しなければならなかったという。

これを国家権力に支配されていた姿と解釈するのは簡単だ。だが他人の目には猿芝居に見えるとしても、そういう言葉を口にすることによって、悲しみを耐えようとする必死の姿勢がそこにあったのだ。

悲しみに身を委《ゆだ》ねて号泣することと、痩《や》せ我慢の挨拶をすることで悲しみを耐えようとすることと、どっちがまことの表現かなど比較裁断出来るものではない。

人は悲しいからといって泣き喚《わめ》くとは限らない。泣くことで悲しみを癒《い》やす人もいるが、微笑することによって耐えようとする人もいるのだ。

日本人は変わった。価値観ばかりか感受性が変質した。

人の心の陰翳《いんえい》をかつての日本人は汲《く》み取るデリカシイを持っていた。

しかし今は心の機微を感じ取る前に分析し批評する。

テレビの若いタレントが中田氏に質問したそうだ。

「中田さんはずいぶんご立派なことをいっていらっしゃいますけど、本当の気持ちはどうなんですか?」

それに対して中田氏は「心の中では慟哭《どうこく》しています」と答えられたそうだ。いったいなぜそこまで他人の心に立ち入ろうとするのか。なぜその無礼を許して答えなければならないのか。公衆の面前で本心をいわせてそれが何だというのだ!

しかし私の怒りはタレントがいったという次の言葉を聞いて宙に浮いた。

「慟哭とはどういうことですか?」

と彼女は訊《き》いたのである。中田氏は怒りもせずに「心の中で泣いています」と説明されたという。もはや日本人には「惻隠《そくいん》の情」はなくなったのか。そういって歎《なげ》いていると、若者が訊いた。

「惻隠って何ですか?」

シワ、シワ

千円札で地下鉄の切符を買おうとした。まずお札を自動券売機に入れるらしいことはわかったが、その千円札が奥へ運ばれかけてはスイーッと戻ってくるのである。何しろ私は有名な外出嫌い。その上娘が家にいた頃はついぞ自分で切符を買うことなどなかったのだ。

この頃はどこも無人の改札口。何が何だかわけがわからない。奥へ行かない千円札と苦闘しているうちに後ろに人が並んだ。後ろの人は私の苦闘を見ている。やがて、

「シワ、シワ」

という声が耳に入った。後ろの若者が呟《つぶや》いているのだ。それは私に向かっていわれているのか? シワ、シワ? 何が? と私は思っている。

「シワ、シワって何ですか？」と訊こうとしてふり返った途端に、業を煮やしたように若者はプイと向こうへ行ってしまった。その時になって漸《ようや》く私はお札にシワがついていると自動券売機は作動しないことを悟ったのである。

今は合理的、合理的と、何でも無駄をはぶくことに価値を置く時代である。人間の代わりをキカイがやることが最高の合理化とされている。ものを買うには穴に金を入れればいいのだ。口を利く必要はない。誰とも口を利かずに暮らそうと思えば、一年でも二年でも可能なのである。そうして、出来るだけ口数を少なくしゃべる癖がついてしまった。「お札にシワがついていると、中に入っていかないんですよ」というところを、「シワ、シワ」ですますようになったのだ。

日本人はそんな暮らしに馴《な》れてしまった人と、どうしても馴れることの出来ない人とにおよそ二分されている。馴れた人はキカイの林立する中を水スマシのようにスーイスイと泳いでいるが、我々大正生まれはあっちでぶつかりこっちで考え込み、という苦労つづき。やっと切符を手に入れて改札口を通ろうとすれば、またその切符を穴に入れなければならない。無事、穴におさまってやれ安心と歩いて行くと、「開けゴマ！」のように開きかけていた前方の金属の扉が膝《ひざ》のところでいきなりグインと閉まる。困るのはなぜ閉まったのかがわからないことだ。切符にシワはなかった。何が気に入らないのか？　相手はキカイだからこちらの疑問に答えない。仕方なく後戻りして、この理由を誰かに訊こうとしても、スーイスイの水スマシはひとの困惑など見向きもしないで通って行く。

キカイにとり巻かれて暮らしているうちに、人間もキカイになったかのようだ。キカイだから他人のことなど目にも耳にも入らず、ただまっしぐらに目的に向かっているのである。

殆《ほとん》どヤケクソになって隣の通路の入口に切符を投げ込み、かくなる上はもし扉が閉まってきたら、力ずくで打ち開いてみせるぞ、と決意をかためて進んでいくと、今度はあっけなく開いた。なぜさっきは閉まり、今度は開いたのか、そのわけを知りたいと思うが、キカイは教えてくれないからいまだにわからないままである。水スマシさんたちはこういうことをいちいち不思議に思ったり、わけを知りたいと思ったりしないのだろう。

「ダメ？　そんならこっちを通ろう――」

それですんでいるのか？　ひとつひとつに疑問や好奇心をもってこだわっていたら、身がもたないので、自分もキカイ並になることにしたのかもしれない。

こうなるとあの「シワ、シワ」のお兄さん、あのお兄さんはまだ人間らしい気持ちが残っている人だといえるかもしれない。

想像力が足りない

ある時、私の読者だという人から手紙が来た。その人は高校時代から出版社のS社に入社したいという希望に燃えていて、そのために必死で勉強してきたという人である。

もともと勉強は嫌いな方だったが、S社に入りたい一心で必死の勉強をして大学へ入った。そうして念願のS社の入社試験を受けた。一次はパスして、二次の面接の時、試験官は彼女の履歴書を見ながら「あなたは卒論に佐藤愛子を選んでいるが、佐藤愛子を好きなのか」、と訊いた。

「はい、大好きです」

彼女がそう答えると、試験官は言下にいったそうだ。

「こりゃダメだ。協調性がない！」

あわれ、彼女の夢は佐藤愛子のために潰《つぶ》れたのである。

彼女は悲嘆の涙にくれて私にその手紙を書いてきたのだが、私はS社の考え方、「ごもっとも」という気持ちだった。協調性のない人間が組織の中に入ると組織は円滑に機能しない。だからもっともだと私は思うのである（但し、佐藤愛子を愛読しているからといって協調性がないと断定するのは、いささか短絡的ではないかと思うが）。

私は欠点の多い人間で、協調性がないばかりでなく、面倒くさがりの怒りんぼう、相手かまわずいいたいことをいい、無愛想で常識を無視し、猪突猛進《ちよとつもうしん》である。

その私に当編集部は「人づきあいをよくするための性格について」何か書くようにと注文してきた。

人づきあいの下手な私にわざわざそんな依頼をしてきたということは、もしかしたら編集部はこの私に反省の機会を与えようとしているのかもしれない。

白状すると私は今まで「人づきあいをよくするためにこんな性格になろう」などと考えたことがなかった。人に好かれようとしたこともない。欠点の多い自分を知らないわけではなかった。それらの欠点のために人々の誤解、無理解の渦の中を生きざるを得なかった。だがそれは自分が悪いのだからしようがないことだと考えて、誤解、無理解に抵抗しようとせずにそのまま受け容《い》れてきた。誤解を解くために努力しようとも思わないし、誤解している人を恨むこともしない。

「しかたない」と思ってきた。

「しかたない」と思って恬《てん》としているところが、私の大欠点で、「こりゃダメだ、協調性がない！」とS社の試験官を叫ばせるゆえんなのであろうが、私は「ありのままの自分」を正直に見せる生き方しか出来ない不器用な、というよりどうしようもない人間なのである。

「私はどうしてこんなにいやな性質なのかと情けなくなります。どうしたら人とうまくつき合うことが出来るのでしょう。どうしたら好かれるのでしょう。好かれようと思って、愛想をふりまいたり、冗談をいったりしてみるのですが、そうすればするほど嫌われていくのです」

そういう相談を受けることが時々ある。「私ってどうしてこんなにいやな性質なんでしょう」といわれても、そういう相談は手紙であるから、その「いやな性質」とはどんなものなのか、私にはわからない。「友達が出来ない」というけれど、友達の方でその人を嫌っているのではなく、その人の意識が邪魔をして（自分で自分を縛っていて)、「嫌われている」と思いこんでいるために誰とも親しくなれないのかもしれない。「性質がいや」なのではなくその「思いこみ」の方に問題がありはしないか。

職場の人気者A子さんという明るく無邪気でみんなに好かれている人がいるが、その人のようになりたい、という。

「なりたい」といっても、そう簡単になれるわけがないのである。人にはそれぞれ生まれつき持っている性質というものがある。それから親の教育、生活環境で身についてしまった性格もあるだろう。

それは生活の中でいつとはなしに身についていくものであって、広い意味で個性といわれるものである。

明るくて無邪気な人が人から好かれているから、自分もそうなりたいと無理して冗談をいったり愛想をふりまいたりしても逆効果になってしまうのは、それは彼女にとっての「自然」でないからである。無理はいけない。技巧は鼻につく。その人にとっての最も自然な姿、ありのままを磨くのが一番早道なのだと私は考える。

「人づきあい」をよくしたいといっても、一般向きの「人づきあいのよさ」と友達として「愛され信頼される」つきあいとがある。

やたらに明るく無邪気で、気軽で気ばたらきのある娘さんは、間違いなく多くの人に好かれるだろう。だがそれが何だというのだ、と私は思う。多くの人に好かれることと、少数の人だが信頼してくれる人がいるということと、どっちに価値があるだろう？　自分にない明るさ無邪気さを無理やりに作るよりも、自分の持ち前の性格を伸ばす方へ考えを持って行った方がいい。短所を長所へと持って行くのだ。あの人はちょっと見にはとっつきにくい人だけれど、仕事は熱心よとか、思慮深くて沈着よとか、親切な人よとか、人への思いやりのある人よとか。

そういうことなら努力すれば達成出来る。自分にその要素のないものに向かって努力するのは無駄なアガキというものであろう。

協調性の持てない私は、自分の自我の強さを「苦労を引っかぶって元気よく生きる」という方向へ持っていった。しかたない、妥協しない、いいたいことをいわずにはいられないという我儘《わがまま》を、「正直」という美徳（人によっては正直は悪徳というかもしれないが）の方へ引っぱった。

人々は私の我儘や激怒症やにくまれ口に閉口しながらも、私が正直であること、心にないことはいわぬ人間であることだけは認めてくれるようになった。

「ほかの人が書いたなら、こんなことウソだ、と思うかもしれませんが、佐藤さんが書いているので、本当なんだろうと思いました」

という読者の手紙を読む時、私はとても嬉《うれ》しい。

私は私の欠点を引きずりながら誠心誠意生きてきた。怒る時もにくまれ口を叩《たた》く時でさえ、誠心誠意怒り、にくまれ口を叩いた。

そう生きるしか、ほかに出来ることがないからそうしてきたのである。

この頃、人づきあいのむつかしさを知って、自分の性質を気にする人が増えてきているそうだ。だが人間には相性というものがある。すべてに調子のいい明るい人が好きな人もいれば、あんまり調子をよくされると疲れる、という私のような者もいる。肝腎《かんじん》なことは暗い性格を明るくしようと努力することではなく、例えば「この人はどんなことが好きでどんなことを苦痛に思う人か」を考えることだと私は思う。

道を訊《たず》ねられて教える時、「この人にはこういういい方でわかるだろうか」と考えながら教えることである。若い人に教えるのと老人に教えるのとでは教え方が違う筈《はず》だ。その老人が街を歩くのに馴れている人か、そうでない人かも考える。つまり大事なのは想像力であり心配りである。

たとえ無口でおしゃべり下手であっても熱心に人の話を聞けばいい。そうすれば話している人は満足する。

そういうことは性質とは関係なく出来ることで、自分の性質のいやさを分析して歎くよりも、想像力を働かせることを心がければそれでよろしいのである。

桜は五分咲き

若い頃は咲き初めた桜を見ると、寒い冬をやっと脱《ぬ》け出たという思いに心が明るみ、満開の桜の下では春たけなわの歓《よろこ》びに浮き立ったものであった。

だが年を加えるに従って、そんな弾む心に少しずつ感慨が加わるようになり、賑《にぎ》やかな花であった桜は、次第に寂しい花になってきた。

我が家にはひと抱えもある桜の老木がある。老木だが毎年、みごとな花を咲かせて四十年になる。私がここへ来てから四十年経《た》ったのである。私がこの土地を買う前の先住者が出した火事で、この桜も危うく焼失してしまうところを辛うじて生き残り、私がはじめて見た時は火に焼き削られた幹がえぐられたまま、勢いを保っていた。私は丁度三十歳だった。

今、私は七十になり、桜はえぐられた痕《あと》がそれなりに固まって、ある種の風格を湛《たた》えて苔《こけ》むしている。

「この桜には神さまが宿っておられるんです」

と訪ねて来た人にいうと、

「なるほど、そういえばそのような趣がありますねえ」

とみんな、感心の目差《まなざ》しになるが、私は勝手にそう決めているだけなのである。お互いに、長く生きてきたものだわねえ、と私は時々、桜に話しかける。私の怒濤《どとう》のような四十年の暮らしに、桜もまたつき合わされてきた。もう桜どころではない、という年が何年もあり、折角咲いているのに気づきもせず、表を通る人が「みごとに咲いているわねえ」といい合っている声を聞いて、ああ、そうだった、もう春か、と気づいたという年もある。ただただ生きるに忙しく、我が子がどんなふうに育っているのかも（ひとつ家に暮らしながら）考える暇もなく、心配りを忘れて追い立てられるように働いていた時、子供は子供なりに育ち、桜は桜なりにふくらみ、咲き、散っていたのだ。

漸く近頃、私の人生も安らいで、ゆっくりまわりを見渡すゆとりが出来、このほど古家を新しく建て替えた。建替のために庭の植木は何本か伐《き》らねばならなかったが、この桜だけは伐らずに残してほしいと建築士に頼んだ。去年の春は家は工事中で私は逗子《ずし》市に滞在していたが、たまたま所用で来てみると取り壊された家屋《かおく》の傍で桜はひとり、我関せずとばかりに咲き誇っていた。

弘前《ひろさき》は私の父の生まれ故郷である。父が在世中私は一度も弘前を訪れたことがなかったが、弘前城跡の桜の美しさだけは何度か聞いたり、ものの本で読んだりしていた。

はじめて弘前の桜を見たのは、四十五歳の時である。五月に入って間もなく、桜は満開だった。花見の人々が花の間を埋め、抜けるような青空の下、弘前城は歓楽を乗せて空中に浮く桜色の島のようだった。素晴しい、美しいと感動するよりも、ただその桜色の洪水に圧倒された。

桜に限らず、北国の花の色は濃い。数年前から私は北海道で夏を過ごすようになっているが、コスモスのピンクやダリアの赤や黄の毒々しいまでの濃さにはじめのうちは驚いたものだ。空気の澄明さがそんな鮮やかさを作るのだろうか、弘前の桜の色も東京に較べるときわ立って濃く鮮やかに思えた。北国の人々の、長い厳しい冬の間の鬱屈《うっくつ》が凝《こ》って、この色になるのかもしれない。満開の桜色は冬の我慢が一挙に爆発した色かもしれない。

次に弘前へ行ったのは、十年くらい後である。桜の季節に合わせて先祖供養に出かけたつもりだったが、この年の冬は長く、春が来かけた筈なのに逆もどりして五月だというのに氷雨《ひさめ》が降って、道端には除雪の汚れた雪が残っているという有さまだった。

私は友人と傘をさして、氷雨に打たれている桜の固い蕾《つぼみ》の下を歩いた。レインコートの襟《えり》を立てて慄《ふる》えながら。どこへ行っても同じことだと思いながら金木町《かなぎまち》の公園へ行ったが、花見の客を当てこんではやしつらえられた茶店の人気《ひとけ》のない、床几《しょうぎ》を濡《ぬ》らしている冷たい雨を見ただけだった。氷雨に打たれて揺れている桜の蕾は我々の失望など知ったことではない、というふうだった。まったく、桜は人間のために咲くのではないのだ。素直に自然に従って、自分たちの営みをしているだけだ。

その何年か後、私はまた先祖供養を兼ねて桜の弘前を訪れた。今、桜は三分咲きから五分咲き、来られる時は丁度見頃でしょう、といわれていたのだが、到着した日は三分咲きのままの曇ったうすら寒い日だった。夕食前に散策しようとホテルを出てお城に着いた時は、薄暮が静かに這《は》い寄ってきていて、あたりに人影はなく絵のような静寂の中であちらこちら、桜がほころんでいた。

その時、桜の美しさというものにはじめて触れた気がした。行けども行けども人気なく、行けども行けども桜がある。ゆるやかに移り行く暮れ色の中に、咲き切るのをためらうかのように莟がふくらみ、あるいは開きかけている。その静かな暮れ方を私は堪能《たんのう》した。

もう三日もすればここは人で埋まるでしょうと連れの人がいった。だが桜は人が来ようが来るまいが、酒を飲もうが踊ろうが、我関せずと咲くのである。桜にしてみれば自分たちを取り巻いての人間たちのそんな歓びようを、ただほほえましく見るのかもしれない。


城跡を出て堀端の料亭の座敷に憩っていると小雨がぱらついてきた。堀に渡された小橋を作業衣を着た男が急ぎ足で過ぎ去った後、音もなく降る春の雨を見て、「桜には雨が似合う」と何げなく呟いていると、ふと赤い傘をさした和服姿の若い女が橋の向こうに現れて、やわらかな桜色が滲《にじ》む五分咲きの桜の下を歩いて行った。

五分咲きの桜には雨が似合う。そして傘をさした女もまたよく似合う。だがその女は若くなければならず、桜は五分咲きに限るのである。

楽しさについて

佐藤さんの楽しいことというのはどんなことですか、とよく訊かれる。改めてそう質問されると困ってしまう。答に詰まっているのを見て、相手の人は、

「ひと仕事終えた時など、何かしら楽しいことをしたいと思うでしょう? お酒飲みに行くとか、おいしいものを食べに出かけるとか、温泉でのんびりしたいとか、ショッピングしたいとか、わたしならいろいろありますけど」

と助け舟を出すが、それは助け舟にはならず、ますます私は困る。ひと仕事終わったからといって、さあ、何かして楽しもうと思ったことは私にはない。むしろ十分に眠れて気持ちよく目覚め、さて今日の仕事は? と考えて、その日書くべき原稿の書き出しやらモチーフやらに考えが到達し、

「よし、これで行こう!」

そう思って起きる時——その時の方がよほど私には楽しいのである。

おいしいものを食べに行く？

おいしいものってどんなものだ？　と反問したくなる。

温泉でのんびり？

「温泉」といえば必ずその後に「のんびり」がつくのが不思議である。温泉へ行けば「三食風呂《ふろ》つき、掃除つき、昼寝つき」の一日を過ごすことが出来る。だから「のんびり」出来るということなのだろうが、私のような貧乏性は温泉へ行くと退屈でしようがない。温泉へ行ってお湯に入り過ぎて湯疲れをした、という人がよくいるが、私は多分「退屈疲れ」で水に浸したパンみたいになるだろう。


ショッピング？　これこそ私の最も苦手とするものだ。殊に（私の娘の大好きな）ウインドウショッピングになると死んだほうがマシ、という気になる。私だって美しいものに不感症というわけではない。だが美々しくウインドウに飾ってあるものに見惚《みと》れながら、その値段を想像すると、あれこれ「見るのは無駄」という気になる。いや、見ない方が精神衛生上よろしいのだ。美しいものを見れば自分のものにしたくなるのは自然の人情である。だがその自然の情の前に立ちはだかるもののがある。値段札だ。ウインドウの中の物はなぜかすべて、値段札が伏せてある。その「伏せてある」という行為に私は怖《おそ》ろしさと憤りを覚える。

人はみな呆《あき》れ果てて、私を「可哀そうな人」だという。

「どうして何もかも忘れて、頭を空っぽにして楽しもうとしないの」

いくらそういわれても、なぜ何もかも忘れなくてはいけないのか、頭を空っぽにしなくてはならないのか私にはわからない。最小限度必要な物だけ置いた広い部屋で、モーツアルトなど聞きつつソファに行儀悪く（これが大事）寝そべって痴呆《ちほう》のようになっている——それが私の楽しい時といえばいえなくもない。だがそんな時、ボーッとしていながら突然、ガバッと起き上がって机に走ることがある。ボーッとしている頭の中にふっと、風のように影のようによぎるもの、水滴のようにポタンと落ちるものがある。小説の構想だったりディテールの思いつきだったり、書き出しの言葉だったりする。ガバと起きて走るのは、忘れないうちにメモをしておかなければ、必要な時に思い出せなくて七転八倒の産みの苦しみをしなければならなくなるからだ。

するとと人はまた「まあ可哀そう」という。

「片ときもお仕事のことが頭から離れないのねえ。なんて可哀そうなの」

私は困ってしまう。私はそんな生活が楽しいのだから。

七十歳を過ぎてやっと私はそんな境地に辿《たど》りついた。苦しい苦しいといって仕事に明け暮れていた年月を越えて、やっとソファに寝そべって音楽を聞く午後のひと時を持つことが出来た。楽しくない日があまりに長かったから、この程度のことで十分楽しい。

人生は苦労があった方がいい。楽しさを十分に味わうためにも苦労は必要だ。私はそう思っている。

だからユーモア小説を書く

子供の頃、私の家に「神戸のおばさん」と呼ばれている人が始終来ていて、来ると二、三日泊って布団の綿入れをしたり針仕事を手伝ったりしていた。おばさんは大の小説好きで、いつも手提袋の中に大衆雑誌を入れていた。私の家へ来ると針仕事をしながら私をつかまえて小説の筋を話すのである。話しながら泣く。涙に声が詰まって言葉にならないこともある。神戸のおばさんが話して聞かせるのは必ず悲しい小説で、悲劇性が足りないとそれは「あんまりよくない小説だ」ということになっていた。

神戸のおばさんが特に熱を入れていた小説に「しず子」という女主人公がこれでもかこれでもかという具合に悲しい目に遭う連載小説があった。しず子は貧しいが気だてのいい美しい娘で、金持ちの息子に見染められ皆に羨《うらや》ましがられて嫁入りする。だが姑に気に入られず、ブスの小姑に嫉《ねた》まれ、夫は頼りにならず、男の子を産んだが婚家先を不縁になる。子供は置いて行けといわれ泣く泣く家へ帰ると老父は病床、母はトリ目。そのうち親切な男が現れるが、これがワルで飲む打つ買うの明け暮れ。そのうち子供が生まれるが男はその子を子供のない金持ちの夫婦に売ることを考える。そこで子供を背負って家出をし、旅館の女中になるが赤ン坊つきなので迷惑のかけ通し。お定まりの意地の悪い女中頭やそれにへつらう飯炊き女などがいて涙の乾く間がない。そのうち漸く救いの男性に廻《めぐ》り合う。彼は優しく純粋で心からしず子さんを愛し子供も可愛がってくれるのだが、突然、交通事故で死ぬのである。

悲劇は際限なくつづく。これはいったい何なんだ！　といいたくなるくらい次から次へとつづく。なんぼなんでもあんまりじゃないか、といいたくなるほどなのだが、神戸のおばさんはこの世は悲しいことばかりなのだ、それはおとなになったらわかりますといった。

神戸のおばさんは悲劇が好きで、ユーモア小説などは「こんなもん、しょもない」と殆ど唾棄《だき》していた。おばさんは悲劇にリアリティを感じていたのだろう。やがて私もおとなになり、なるほどなあ、と神戸のおばさんを思い出すような見聞と経験を重ね、そうして人間というものは悲劇を作るように出来ているものなのだということを理解したのである。

この世の悲劇は自分の力ではどうすることも出来ない運命によってもたらされるというのが神戸のおばさんに代表されるその頃の大多数の女性の考え方であった。一方運命なんてものじゃない、この悲劇は社会の仕組みの問題だとして資本主義社会の不平等、国家権力などに原因を置く人たちもいる。

「ボクは親孝行したいけど、出来ないよ。だってうちは貧乏じゃないんだもの」

かつて私の不良兄貴はそんなことをいっていた。孝行息子というものはたいてい悲劇を背負っているものと決まっていた。孝行娘は貧しい病気の親のために恋人と別れて身売りをする。

貧しさが悲劇を産み、義理人情のしがらみが悲劇を育てた。親の恩、師の恩、山よりも高く海よりも深い恩に報いなければならぬという道徳が作った悲しくも美しい（とされた）悲劇である。

敗戦を機にそれらの「悲劇のもと」は次第に弱体化していった。国家権力は衰え、児童福祉法が子供の幸福を守り、日本人は豊かになり義理人情は捨て去られた。子供はもう親のために身売りをする必要はなく、もし身を売るとしたら自分の快楽のためである。夫に愛人が出来れば、さっさと妻の座を明け渡して新しい出発をする。女の仕事はいくらでもある。泣く泣く子別れをしなくても、一週に一度は別れた子供に会うという約束を取り交わせばよい。仕事を持っている女にはむしろその方が楽である。この新しい生き方があまりに堂々としているので、目引き袖《そで》引きする近所もいなくなって、却《かえ》って羨んだりする者さえ出てくる有さまである。

しかし、だからといって悲劇はなくなったわけではない。相変わらず人生は悲劇である。私はそう思っている。悲劇はなくなったわけでなく、形を変えただけである。日本が豊かになったための悲劇、義理人情が捨て去られたための悲劇、合理主義に蔽《おお》われた社会に暮らす悲劇がある。

人間に情念がある限り、人間が人間でありつづける限り、悲劇はつづく。執着や嫉妬《しっと》や欲望や野心だけが悲劇を産むのではない。理想や夢も悲劇のもとだ。人間に愛がある限り悲劇は生まれつづけるだろう。

「佐藤さんがこの世は悲劇だと思ってるなんて思いもしなかったわ」

と私は人からいわれた。だってあなたの半生を佐藤愛子という名前を外して聞けば、それは悲劇そのものだと思うけれども、でもあなたは悲劇を悲劇と思わず、元気いっぱいに生きているから、佐藤愛子にとってはこの世に悲劇なんてものはないのだと思っていたのよと。

なぜ私はユーモア小説を書いてきたか。私のユーモア小説の書きはじめは『戦いすんで日が暮れて』である。これは私の一家を襲った夫の破産という悲劇を題材にとったものである。私はこの痛切な経験をユーモア風味に仕立てることによって、それを越えようとした。正面からその悲劇と取り組むにはあまりに私は弱く、疲れ果てていたといえるかもしれない。わざと乱暴に怒ってみせ、その姿を滑稽《こっけい》に見せることで私はその悲劇を越えようとした。

人生は悲劇である。悲劇であるからこそ私はユーモア小説を書くのだ。いっそ悲劇を喜劇にしてしまうことによって、私はそれに耐えようとしている。

おかしくも哀しい話

まだ一度も会ったことはないのだが、手紙を貰《もら》うようになって十年近くなる読者の人から、久しぶりで葉書がきた。

「すっかりご無沙汰《ぶさた》いたしました。実は長男の嫁が手術をすることになって、手伝いに来ております。ここは市営住宅の四階で、五つと三つの孫がいます。その子たちの面倒を見ながら掃除、洗濯、食事の支度、跡始末、買物等々、頑健な私もへバってきました。子供たちがきかないの何のって。普段、しつけをしていないものですから、ちょっとやそっといいきかせてもヌカに釘《くぎ》なのです。もうフラフラです」

いつも元気な手紙を寄越す人が珍しく弱音を吐いている。六十を過ぎて五つと三つのきかない孫の世話はさぞたいへんだろうと同情していると、四、五日してまた葉書がきた。

「この前の葉書、自分のことばかり書いて、先生のご健康、お訊ねもしないで失礼申し上げました。何しろ、ゆとりのない生活をしているものですからお許し下さいませ。ここは四階ですが、エレベーターがないのです。それで買物に行くにも階段を上り降りしなければなりません。一人ならいいのですが、五つと三つの孫を連れ、両手に野菜かごを提げて四階へ上る時の苦労といったら。下の子をオンブをしようとしても、生まれてから一度もオンブをされたことがないので、そっくり返って泣くのです。本当にこちらまで泣きたくなります。お察し下さい」

申しわけないと思いながら彼女の必死の奮闘、その空廻りが想像され、私は思わず笑ってしまう。階段の途中で無理やりオンブしようとして、孫と格闘している姿が目に浮かぶのである。

「頑張って下さい」と簡単な返事を出して暫《しばら》くすると、また葉書がきた。

「先生、今日という今日はもう私も堪忍袋の緒が切れて、家へ帰ることにしました。嫁はやっと退院してきたのですが、まだ働けないので私が相変わらずあれもこれもしていたのです。それに感謝の言葉も出さず、私が孫を叱《しか》ったことを息子にいいつけたらしく、息子からこういわれました。『お母さん、子供はのびのびと育てたいので叱らないで下さい……』そして、『お母さん、もうそろそろ帰ったら』です。勝手な時だけ手伝いにこいといわれ、よくなったら帰れといわれる。私は断然帰る

第三章　我が老後

文藝春秋刊
平成五（一九九三）年
著者七十歳

◆キーワードで見る当時の世相◆

平成３年　育児休業法できる
親の仕事の都合などで、海外で暮らす子供が５万人を超えた。
出産後、職場での身分や地位を保障したまま男女どちらでも１年間休業できる制度「育児休業法」ができた。しかし復帰後の配置、昇級、昇進などの取り扱いは事業者の努力義務とされているだけ。

平成４年　バブル崩壊
地価・株価の下落が止まらない。バブルがはじけ、その後遺症で日本経済は長期不況に陥る。国民の生活は苦しく、犯罪も増加。
日本人の余暇の過ごし方のベスト４は、①外食　②国内旅行　③ドライブ　④カラオケ。大衆消費時代の日本人の生き方がみえる。

平成５年　内定取り消し続出
年明けに皇太子妃発表で日本中が沸き、ご成婚特需が期待されたが、バブル崩壊後景気はどん底のまま。不況による業績悪化を理由に、入社予定の企業から「内定取り消し」を受ける学生が続出した。内定を取り消した会社は35社にのぼった。

グーの次は孫

八月某日、北九州から帰って来たら、ホロ蚊帳《がや》の中に赤ン坊が寝ていた。一週間前に出産した娘が、赤ン坊を連れて退院してきたのである。

赤ン坊は座布団にタオルを敷いた上に寝かされている。十日か二週間、娘の身体《からだ》が回復するまでという約束で来ているので、ベビーベッドはない。マットレスを和机の上に敷いた即席ベッドを、かつて娘の部屋であった二階の洋室にしつらえているのだが、二階にひとりで寝かせておくよりも、みんながいる所の方がいいということになって、台所つづきの四畳半に私専用の大座布団の上に寝かせることにしたのだそうだ。

私は大ぶりの座布団が好きである。だから茶の間には自分用の特大座布団を用意している。だがそれを赤ン坊に取られてしまったのだ。仕方なく四畳半用の小座布団に坐《すわ》っていると、どうもよその家へ行ったようでくつろがない。

赤ン坊は女の子である。ハレ目で鼻が踏んばっている。頭が妙に長い。しかもイビツであるが、このイビツはだんだん直るであろう。目はハレ目だが、切《きれ》が長いからハレが引いたら可愛くなるかもしれない。だがハレは引くのか引かないのか。あるいはおとなになってもずっとハレ目かもしれない。

かねてから私は、赤ン坊の世話はしない、と心に決め、口にも出してきた。インコのピー、犬のグーを押しつけられた上に、赤ン坊の面倒までは見かねる。ばあさんだと思わず、じいさんだと思ってくれ、と娘にいってある。じいさんというものは、ただニコニコして「ほう、ほう」と赤ン坊を見ているだけである。赤ン坊がうるさくなると、

「ほら、泣いてるじゃないか。何とかしてやれ」

といってどこかへ行ってしまう。

じいさんはおしめの取り替えなどしない。不器用だからじいさんが赤ン坊を抱くと、まわりはハラハラする。そんなじいさんになるつもりだった。

私が北九州から帰った日、即《すなわ》ち娘が赤ン坊と共に退院して来た日は、赤ン坊の沐《もく》浴《よく》を誰がさせるか、が問題になっていた。

「わたしゃ出来ないよ」

と私は宣言する。手伝いのTさんは、うちの子供の時はおばあちゃんが入れてくれたものですからねえ、と思案顔。やって出来ないことはないと思うけれど、あたしは手が小さいから、両耳を押えるのに指の長さが足りないんですよという。

「あんた、病院で教わって来たんじゃないの？」

と私は娘にいった。この頃の病院では、入院中に沐浴、調乳からおむつ交換まで教えてくれるそうだ。

「実習したんでしょ？」

「うん」

と娘は浮かぬ顔。お産後の一週間はあまり力を入れるようなことはしない方がいいんですけどねえ、とTさんは心配そうだが、こっちはじいさんだから黙っている。

「昔の産婆さんはよかったねえ。親身で頼りになった。産んだ後も、お湯に入れに通ってくれたし……今はみんな病院で産むから産婆さんがいなくなった……どこかに生き残りがいないかねえ」

私は娘の婚家先から届いた赤飯を食べながらどこ吹く風とそんな感想を洩《も》らす。

娘は夫と相談して、二人ですることにしたらしい。風呂場は狭いからというので（何しろ娘の夫は大男）風呂場の前の廊下に浴槽を置き、ムコさんはズボンの裾《すそ》とワイシャツの袖《そで》をめくり上げて、お湯を汲《く》み入れた。そこは片方が浴室、片方は茶の間という場所だ。茶の間は廊下よりも三十センチほど高くなっている。

「丁度いいわ。ここが台になるから」

と娘はいい、畳の上にビニールで覆った座布団（私の）を置き、シーツをかけ、着替、バスタオル、綿棒、イソジン液などを並べ、更に石鹸《せっけん》、ガーゼのハンカチ、湯温計を揃《そろ》えた。まるで「店屋さんごっこ」というあんばいである。

「お湯の温度は三十八度から四十度だからね。分量は浴槽の二分の一……」

と夫に指図する。温度計で湯温を確かめ、

「いいわ、オッケイ」

ムコどのは緊張して赤ン坊を抱き上げる。と、娘は叫んだ。

「手、手、手洗った？　石鹸でよく洗ってね！」

手を洗う？　手はこれからお湯につけるんじゃないか。石鹸で赤ン坊を洗うんじゃないか。なのに何のために手を洗うんだ？　思わずそういうと、娘は、

「だって病院じゃそう教わったのよ！　ここにもこう書いてあるわ！」

憤然といい返す。病院から貰《もら》ってきた「赤ちゃんのために」という指導書にはなるほど、「お母様の準備」として「石鹸と流水で手を洗います。爪は短く切ってお

きます」とある。

ムコどのは従順に手を洗い、おそるおそる赤ン坊を抱き上げた。

「まだよ、まだ服は脱がせないのよ。最初はアタマだけ。タオルを襟《えり》のように十五センチくらい外側に折って、赤ちゃんをしっかりくるむ。そして小脇《こわき》に抱えるのよ……そして頭だけお湯につける……」

赤ン坊は泣きはじめた。大男の小脇に抱えられ、浴槽の外から頭だけハスカイにお湯に突っ込まれたのでは赤ン坊だって泣きたくもなるだろう。

「なにやってるんだよう！　泣いてるじゃないか」

いうまいと思えど、ついいう。

赤ン坊は身体ごとお湯の中につけて、あたためて、機嫌のいいのを見てから、静かにガーゼで洗ってやればいいのだ。

「だって病院じゃそう習ったのよ！」

娘はエキサイトしてきた。

「とにかく、そう習ったんだから、いう通りにしてよ！」

「するよ、するよ……いってくれ。どうすればいい？」

ムコどのはオロオロしている。浴槽を挟んで娘とムコどのは向き合い、二人がかりで泣き叫ぶ赤ン坊の頭を洗った。

見ていられないから、私は背中を向けて赤飯を食べる。

赤ン坊はやっと頭を拭かれ、裸にされてお湯に入れてもらったらしい。おとなしくなる。

「温度計見て……大丈夫？　三十九度ね？　もう十分あったまったわね。じゃあ、ここへ寝かせて」

と娘が指図している。

赤ン坊はまた泣き出した。ギャアギャア泣く。見るとさっき広げたタオルの上に赤ン坊を置いて、娘は中腰。泡立てた石鹸を塗りつけている。娘はいった。

「首、肘《ひじ》、腋《わき》の下、膝《ひざ》のくびれたところは伸ばすようにして洗う……」

こんな沐浴のさせ方ははじめてである。湯から赤ン坊を引きあげて、台の上で洗うなんて。いったいどんなヒマ人が考え出したことなのか。

「何してるのよ！　そんなやり方ってないよ！」

箸を持ったまま私は仁王立ち。思わず叫ぶ。

「マナイタの上で魚を洗うのとはちがうのよ！」

「そんなことといったって、病院ではこうしたのよッ！　ちゃんとそこの指導書に書いてあるでしょッ」

娘も負けじと怒鳴り返す。

「病院信仰、活字信仰。今の若い者《もん》は活字になっていれば何でも正しいと思いこむ。この指導書だって、およそ何頁で仕上げてくれっていわれてね、書き手が頁数を満たすためにムリヤリに引きのばした形跡があるよ！　何だって？　『しゃっくりとくしゃみ』についてだって。しゃっくりが出たら静かに抱いてとまるのを待ちましょう。くしゃみはちょっとした気温の変化でも起ります。冬に頻繁に出るようなら暖かくしましょう……当り前じゃないか。こんなことといちいち、書いて教えてやらなきゃならないのかねえ。この書き手は今の若い女はみな低能だと思いこんでいるんだわ……」

「うるさいわね。少し黙っててよ」

娘は仁王さながら。興奮と暑さで真赤になった顔を、滝のように汗が流れている。

赤ン坊は泣き喚《わめ》く。

ムコどのは汗みどろ。

「どれ、かしてごらん、私がやるよ」

と手が出そうになる。それを怺《こら》えて赤飯を頬張る。ここで手を出しては、あとあとまで響く。バリバリとタクアンを噛み砕く。怒りの汗は我慢の汗に変った。

赤ン坊はやっとお湯につけてもらって泣きやんだ。赤ン坊はみんなお風呂が大好きなのだ。お湯につかっていると母親の子宮の中、羊水に浮かんでいた時の、懐かしい安らぎを思い出すのだろう。その幸せなまどろみをあわれ、おとなの勝手がブチ壊す！

おむつにしてもそうだ。おむつは洗い晒《ざら》した浴衣《ゆかた》が一番いいのである。洗い晒した浴衣の何ともいえない懐かしい優しさ。あれこそ赤ン坊の桃の皮のような柔らかなお尻の皮膚にふさわしいおしめである。だが、古浴衣のおしめをしている赤ン坊など、そんなしみったれたのは日本全国、どこへ行ってもいませんよ、と人は口を揃える。紙おむつがいいのです。紙おむつなら洗濯の手間がはぶけます。たっぷり吸い取る力を持っているから、夜中も起きなくてすみます、などという意見が強い。本当は布おしめにしたいのだけれど、布おしめを乾《ほ》しているのを見られると恥かしいので、部屋の中に乾しているという人がいるくらいですもの、という。なぜ恥かしいのかというと、布おしめは紙おむつよりも安くつくからだそうである。

「そんな時代ですもの……」

そういわれるとますます、古浴衣のおしめを作りたくなるのだが、その古浴衣がない。そうれごらん、古浴衣のおしめなど、佐藤さんのノスタルジイですわといわれた。

更に腹立たしいのは病院でも紙おむつを奨励していることで、「赤ちゃんのために」にはこう書いてある。

「おむつについて」

「赤ちゃんが泣いたときや授乳の前後には、必ずおむつをみてあげて下さい。おむつはパンパースを使います。くまさんマークを前にしてシールでとめます。シールはくまさんの部分につければ取り外し自由です」

なにがくまさんマークだ、そんなことより紙おむつの山が我が国のゴミ事情を悪化させることについて考えたらどうだ、と私は叫ぶ。泣いた時はおむつを見ろ？当り前だ。そんなこといちいち教えなくても、赤ン坊が泣けば、シッコか、おっぱいかと調べるのはじいさんでも知っている、といいたい。

湯から上げた赤ン坊を前に、娘は綿棒をあやつって臍《へそ》をほじっている。「赤ちゃんのために」にこう書いてあるのだ。

「臍はくぼみを広げて水気を充分に拭き取ります。そのあとイソジンで消毒します」

今や一心にそれを行っているのである。緒が取れて乾いた臍をほじって何になる。もうアホらしくて見てはいられない。そんなものほっとけばひとりでに乾くのだ。仕方なく食べたくもない赤飯を食べる。

ムコどのは疲労困憊《こんぱい》、汗を流したままウツロになって赤飯の一点を見つめている。私はじいさんだから、手出しはしない。私は頑張る。孫の面倒は見ないぞ。

ああ六十八歳

夕方、手伝いのTさんが帰った後に来客があった。化粧品のセールスをしている人でSさんという。もういい加減にやめたいのだが、会社がやめさせてくれないのだそうである。私と同い年の六十八歳だが、私より十歳は若く見える、なかなかの美人である。皺《しわ》ひとつシミひとつない肌の白さ、なめらかさは不老不死の薬でも見つけたかと思われるほどで、なるほどこの人なら化粧品の「歩く広告塔」として得難い人材であろうと思う。

Tさんがいないので私はお茶をいれ、何かお茶菓子は？　と台所を見廻すと居間との仕切りのカウンターの上に到来物の栗むし羊羹《ようかん》があったので、それを切って出した。

二人で栗むし羊羹を食べながら四方山《よもやま》話をする。年が同じなので気心が合う。わたくしは甘いものが好きで、と彼女は二切れの栗むし羊羹に満足気であった。

翌日、居間で郵便物の整理をしていると、Tさんの独り言が聞こえた。

「あら、この羊羹、カビてるわ」

聞き流しかけて、はっと思った。

「え？　カビ？」

Tさんは私のそばへ来て、「ほうら」と見せた。

「白いポチポチが浮いてますでしょ」

昨夜、羊羹を切った時、このポチポチは何だ？　と思ったことを思い出した。食べる時にも、もう一度、そのポチポチを眺めて、もう一度何だろう？　と思った。だが、気に止めずに食べ、Sさんを見ると格別ヘンな顔もしていないので、安心して食べてしまった。それがカビだったのか！　しかし私の目にはカビのようには見えなかったのだ。

三年ほど前から少しずつ白内障が進行していて、そのためか注意が散漫になっていることに私は気づいている。たださえ見え難くなっているのだから、注意の上にも注意をするべきであるにもかかわらず、なぜか反対に注意がおろそかになっているのだ。注意して見ようとしても見えない。それを無理に見ようとするとその努力が負担になって疲れるから、疲れないために最初《はな》から見ないようにする癖がついたのかもしれない。本や新聞を読むのも苦痛である。食品、日用品、電気製品などに添附してある説明書や値段などは全く読まない。素通りだ。

数日前もTさんのいない時、冷蔵庫の奥にインスタントラーメンの袋を発見して、自分で作って食べた。丁度、仕事で地方へ行くことになっていて、今、何かお腹《なか》に入れておかなければ、夜まで何も食べられないだろうと予想したからである。ところがそのインスタントラーメンのまずいことといったら我が六十八年の生涯でこれほどまずいものは食べたことがなかった、と思うような味だったから、後で私はTさんにいった。

「あの冷蔵庫のラーメン、まずいのなんのって、ものすごい味だったわ。おつゆの味がヘンなばかりかそばもどろどろで……」

「おつゆ？」

Tさんは頓狂な声を上げ、

「先生、あれはヤキソバです……それじゃあ、ヤキソバのソースをおつゆになさったんですか！」

「ヤキソバ……誰がそんなもの買ったのよ？」

「さあ？……私は買いませんけど……」

とTさんは考えている。いつだったか、娘が来て滞在していった時に買ったものだろうということになった。それは三か月も前のことだ。

「お腹、大丈夫ですか？　何ともありません？」

そういえば、仕事先に行く途中、少し腹痛を覚えて下痢をした。だが私はひどい便秘症だから、下痢はむしろ歓迎するところなのだ。そういうとTさんは、

「まあ！」

といったきり、言葉がなかった。

ヤキソバをツユソバにして食べたのは、ボケ現象ということになるのかもしれないが、それというのも白内障であるための注意の放棄が、ボケ現象を呼んでいるのではあるまいか。私はそう思いたい。

それから十日と経《た》たぬうちに私はカビ羊羹を客に食べさせてしまった。

「気をつけて下さいませよ」

とTさんは真顔でいう。私も真顔で、

「ほんとうに、しっかりしなくては」

という。それにしてもあのSさん、ツルツル美人のSさんもカビに気がつかなかった。Sさんもやはり白内障なのか、強度の老眼か。

「栗が沢山入っていて、おいしいですわァ」

と喜んで食べていた。

「どちらの羊羹ですか?」

「青森の方からいただきましたの。青森からのお土産ですが、大阪屋というお店です」

「あらまあ、オホホ」

と二人で上機嫌だったのだ。

(ちなみに羊羹にカビが生えたのは、当方があまりに大事にとっておいたためで、大阪屋さんの責任ではありません)。

東京に雪が降り積ったのはその三日後のことである。今夜は雪になるらしいと聞いていたが、翌朝、目覚むれば白皚々《はくがいがい》たる銀世界である。銀世界はいいが、土曜日なのでTさんが休んでいるから、雪掻《ゆきか》きをしなければならない。茶の間に炬燵《こたつ》でもしつらえて、雪景色を眺めながらゆっくりお茶でも飲んでいたいところだが、古ズボンに古セーター、古ネッカチーフで頬かぶりしてレインシューズを履いて外へ出た。雪掻きのシャベルを探してうろうろする。漸《ようや》く見つけたが、このレインシューズ、誰かに頼んで買って来てもらったものだが、へんに気取っていてヒールが高い。その靴で中腰になって雪を掬《すく》っていると、間もなく腰が痛くなってきた。だが十時に仕事先からの迎えの車が来ることになっている。このままでは車は門前に来ることが出来ないだろう。腰の痛みがピークに達した頃、休日なのにTさんが駆けつけてきてくれた。Tさんこそ私の一人暮しを憐れんで、神が遣わして下さった天使である、と思う。

Tさんに後を托《たく》して仕事先へ行き、帰って来たのは日暮時である。犬どもに飯を与えようとして用意をしたが、チビの姿がない。チビ、チビ、と呼ぶ。雪の上を走って来たタローは、私が手にしている鍋《なべ》を見つめて尻尾《しっぽ》を振っている。

「タロー、チビはどこへ行ったの?」

タローは鍋を見つめて尻尾を振るばかり。

「チビッ、チィビィーッ!」

だんだん、声が甲高くなっていった。とにかく寒いのだ。夕暮の刺すような寒気。腰も痛い。勝手にせえ、と食器を庇《ひさし》の下に置いて中に入った。どうせ甥《おい》のところの縁の下にでももぐり込んでいるのだろう。隣近所、総出で雪掻きに出ているというのに、顔出しもしないのらくらの床下に。ふン! と腹を立てて、そのまま戸を閉めてしまった。

ゴーッというわけのわからぬ音に目を覚ましたのは、あけ方の四時頃である。一瞬の後、直下型地震がどーんときて、それから揺れがはじまった。我が家は築後三十二年の古家だ。まるで大海原へ出た小舟さながら、上下だか左右だかわからないムチャクチャの大揺れである。

愈々《いよいよ》、来るべきものが来た。

東京壊滅の時が来たのだ、と思った。

だとしたら起きたところでしようがない(それに腰が痛い)。東京が壊滅するのなら、どこにいても同じだから、寝ていよう。そう思って電気もつけずに寝ていた。

そのまままいつしか眠ってしまい、目が覚めたら九時すぎだった。日曜日だから、この日もTさんは休む。腰は痛いし、起きてもしようがないからそのまま寝ていた。ど、ど、どーという雪崩《なだれ》のような響が時々聞える。屋根の雪が庭に落ちているのだろう、と思っていた。

午後遅く、さすがにのどが渇いて階下へ降りてみると、居間のガラス戸の外に雪の山が出来ていた。へちま棚が屋根からなだれ落ちてきた雪を被《かぶ》ったために壊滅状態になっている。雪の山はへちま棚の上に積った雪と、屋根からの雪の両方が作ったものなのだ。

呆然《ぼうぜん》として眺めているうちに、犬どものことを思い出した。ガラス戸を開けてタロー！　チビ！　と呼んだ。タローはすぐにどこからか走って来たが、チビは姿を見せない。小屋を覗《のぞ》いたがそこにもいない。食器が二つともきれいになっているところを見ると、昨夜あれからチビは現れて飯を食ったものとみえる。

私は袋菓子を持ってきて、袋を破く音を立ててみた。武士は轡《くつわ》の音に目を覚まし、チビは菓子袋の音に飛んでくる。

「タロー、さあ、クッキーをあげようね」

と大声でいう。

「さあ、さあ、おあがり。もっとかい、よしよし」

いつもならこれでどこにいても飛んでくるのだ。しかし、チビは現れない。

少し心配になってきた。

それからはっと思った。

もしやチビは屋根からの雪崩に頭から呑《の》み込まれ、この雪の山の底に埋もれてしまったのじゃないか？

チビはいつもこの居間の前にいる。丁度、雪が山になっている所だ。

色気に食気《くいけ》ばかり残ってヨボヨボになったチビである。気配を感じてとっさに逃げるだけの動物の勘を失って埋もれたのか。

これだけ大量の雪に埋もれては、もう死んでいるにちがいない。鳴きもせず、もがきもせずに死んでいったのか。

生きているにせよ、死んだにせよ、とにかく早く掘り出してやらねばならない。

私は身支度をし、例のハイヒールのレインシューズを履いてシャベルを握った。雪の山にシャベルを突き立てる。

何という固さ！

昨日の朝の雪掻きの時とは全く違う。雪はカチカチに凍って固まっているのだ。

凍死したチビの姿を想像した。あのショボショボした長い毛は、凍《い》てて針金のように突っぱっているのだろうか。それとも使い古しのヨレヨレモップのようになって、ダラリと出てくるのだろうか。目は閉じているのか、ギョロリと怨《うら》めしげに剝《む》いているのか。

いつか娘がいったことが頭に浮かんだ。

「ママ、そんなにチビを虐《いじ》めてると、チビが死んでから後悔に胸をかきむしられるわよ。こんなことなら、もっと可愛がってやればよかったって思うわよ。いいの？……」

シャベルは重い。

雪は固い。

腰は痛い。

日は暮れていく。

ハイヒールはすべる。

しかしやめるわけにはいかない。必死で雪の山にシャベルを突き立て、突き立て、イテ、テ、テ、と腰の痛みに唸《うな》る。

ふと気配を感じてふり返った。

なんと、私の後ろにチビめが立っていて（どこにいたのかサラサラと乾いた毛で立っていて)、「なにしてるんですかァ?」といいたげに、黒い目をパッチリと見開いて私を眺めているではないか。

「このォ……」

思わずシャベルをふり上げ、しかしその後を追いかける力はもうないのだった。

ボケ仲間

現在我がボケの、最たる現象は固有名詞が思い出せないことである。もう少し正確にいうと思い出せないことを思い出そうとする努力をしなくなったということだ。二、三年前まではその努力をしていたのだが、この頃はそれが面倒くさくなっている。面倒くささに身を委《ゆだ》ねてしまうということはエネルギーの涸渇《こかつ》と関係があるのかもしれないが、いずれにせよそれがボケるということなのだろう。そう思いながら手放しでボケを進行させている。その方がラクなのである。

昔のことはよく憶《おぼ》えているのに、最近のこととなると何も憶えていない。昨日会った人の名前をもう忘れているのは、「忘れている」のではなく、最初《はな》から憶えようとしていないためであるらしい。

「昨日、ご馳走になった中華料理、おいしかったわ」

「なんというお店ですか？　T飯店？　K亭？」

などと訊《き》かれて、店の名前を聞いていなかったことに気づく。忘れた（あるいは憶えようとしなかった）のではなくて、ご馳走してくれた人が何やらいっていたようだが、早口なのでよく聞えず、聞き返すのも面倒でそのまま看板も見ずに入った。とにかくうまかった――。

それでよいのである。

文壇関係の人が集るとかつて尊敬していた先輩作家がボケた時の話が出ることがある。大作家がボケたという話は普通の人がボケた話よりも興味深いから、話す人、聞く人の顔にある種の活気が漲《みなぎ》る。

「あの先生がねえ……気の毒にねえ……」

といいながら、何だか嬉《うれ》しそうだ。少くとも私にはそう見える。私もそのうち、

「あの佐藤愛子もこの頃は……」

とひときわ嬉しそうにいわれるのだろうと思うと、一緒になって笑ってはいられ

ない。

「私もそろそろボケはじめてるから、愈々の時はフォローして下さいね」

これは本音なのに相手は、

「何をおっしゃいます。佐藤さんに限ってボケるなんてことはまず、百歳まであり
ますまい……」

などとヌケヌケという。ホントはその時を期待しているのに。

「いや、冗談じゃなく、もう人の名前、物や場所の名、まったくいえなくなってる
んだから。六十八歳にしてすでに徴候が出てるのよ」

真顔でいってるのに、

「いやァ、そんなことありますまい」

ありますまいって、ホントにホントなんだから。この間も保険の満期が来たとい
う葉書を見て保険会社へ電話をし、

「えー、ニコニコ貯金のことですが……」

「えっ？　何でございますか？」

「ニコニコ貯金の満期が来たんですよ」

相手は暫《しばら》くの沈黙の後、

「失礼でございますが、こちらはマルマル貯金というのはございますが、ニコニコというのは……」

「あッ、ごめん。マルマルでした」

というような騒ぎを起したばかり。しかし相手は一向に真剣に受け止めようとしないので、それにいつだったかも、こんなことが……と更に話を継ぎ重ねる。

「羽田飛行場の待合室で……」

そこまでいって詰った。そこでひょっこり出会った人の話をしようとしたのだが、その名前が思い出せない。

「あのね、女性の評論家っていうのかしら、タレントっていうのかな。もとアナウンサーだった人で、さっぱりした、元気のいい、ベテランの人ですよ、知らない？」

知らない？　といきなり訊かれても相手としては答えようがないだろう。

「ほら、たっぷり握ったおにぎりといったふうにほっぺたがふくらんでる美人ですよ。男まさりのベテランの押し出しがあって……ねえ、思い出してよ」

「たっぷりのおにぎり風ねえ？　えーと、誰かなあ……」

と相手の人はひたすら困惑している。

「ま、いいわ、とにかく、その女史を見かけてね、前から挨拶する程度の仲だったんだけど、私、その人のことわりあい好きだもんだから、声をかけたくなったのよ。それで近づいて行って、『下重《しもじゆう》さん、こんにちは』っていっちゃったの。下重さん、っていった途端に、しまった！　と思ったのよ。その人、下重さんでないことはわかってるのよ、なのになぜかスラスラと出ちゃったのね。とっさに、『あ、ごめん。下重さんじゃなかった……ええとォ……』っていったの。そういったらその人が『わたしはナニナニよ』と名乗るだろうと思ったのよ。なのにその女史はこういったのよ。『いいの、いいの、わたし、下重さんによく似てるらしくて、よく間違えられるのよ』って……。私の恐縮を慰めようとしてくれてることはわかるんだけど、そういわれると、『ところで、あなたのお名前は？』とはいえないじゃない。そのまま、四方山話になって、向うも私も福岡へ行くところだったから、飛行機に乗るまでずーっと一緒で、機内では座席が離れていたから、その間考えたんだけど、どうしても思い出せない。福岡に着いてその人とは『さよなら、またいつかね』なんていって別れたんだけど、出口のところに仕事先の出迎えの人が来ていて、その人がこういったのよ。

『ナントカ先生とはお親しいんで？』って」

「その時にはじめて名前がわかったんですか？」

「そうなの。あっ、そうだった、と思ってやっと胸の閊《つか》えが下りたんだけど、そしてね、その時はアタマにその名前を叩き込んだつもりだったんだけど、車に乗って暫く走ったらもう、思い出せないのよ……」

「はァ？　ホントですか」

「でもまさか出迎えの人に、さっき私と一緒に飛行機で来た人、なんて名前でしたっけとも訊けないでしょ」

「ははァ、それ以来、ずーっと、思い出せないんですか？」

「二度ばかり突然思い出したことがあるの。一度はベッドで眠りかけた時、もう一度はお風呂に入ってる時……でも、気がついたら忘れてるの」

「ふーん、誰でしょうなあ？　有名な方ですね？」

「そうよ。その人が歩けばみんなふり返ってたわ」

「ふーむ……」

　思い出せなければそれでいい。この話を持ち出したのは、その女史の名前を思い出してもらうことではなく、「このようにボケてきているのだ」という証拠を相手の鼻先に突きつけて、以後真剣な気持で対してもらいたいためなのだから。

にも拘《かかわ》らず、相手は執拗《しつよう》に、

「いや、それくらいのことは、ぼくらでもありますよ、どうしても思い出せないってことが。ボケとはちがうんじゃありませんか」

いや、これはボケとはちがうんだ。ボケのはじまりなんだ。しつこいなあんたも。ボケているといったらボケてるんだッ、なぜ認めようとしないッ！ 私のことを真剣に心配しないからそんなことをいうんだッと咽喉《のど》を絞め上げたくなるのである。

しかし、そうかといって、もし相手の人が、

「そうですか……愈々ですか……」

と心配そうに声を落し、

「そういえば、この頃、もしかしたら……そうかなァ……と思わぬでもなかったんですが……」

などといい出したりすれば、

「なにを！ うるさい！ 黙れ、黙れ！」

という気持になるかもしれないのである。

あれやこれや考えたところで、ボケるものはボケるのだ。死ぬものは死ぬ。仕方

がない。すべて神のみ心のままだ。他人の無理解、噂《うわさ》、誹謗《ひぼう》、屁《へ》とも思わず生きてきた吾輩である。ボケてもの笑いになったからといって、今更のことじゃない。さんざん、迷惑をかけて六十八年生きてきた吾輩だ。今更「迷惑をかけたくない」などと気取っても始まらない。

そう度胸を据えて、ボケるものは怖《おそ》れずボケることにした。手に余るようならさっぱりと殺してくれればいい。

――と強がりつつ、その胸を蕭々《しょうしょう》と風が吹いている。

ある日曜日、Nさんが遊びに来た。Nさんは私よりも四つばかり年下で、若々しく元気イッパイという人である。六十を過ぎてもまだ会社勤めをしているが、常に人のために役立ちたいという気持の持主で、土、日は休みなので私のところへ来ておしゃべりをしながらマッサージをしてくれるのである。

マッサージを受けながらの話題は、いつか血圧やコレステロール、病気の話、病人の噂になり、やがてボケへと進んでいくのがこの頃のパターンである。

「私ね、この間、ナメコという言葉を忘れてしまってねえ。ナメコとお豆腐のおみおつけを作ってもらいたいんだけど、それがどうしてもいえないのよ。ほら、あのキノコの小さいの、というと、シメジですか、いや、そうじゃなくて、アタマが丸くて、というとエノキ茸《だけ》ですか……」

私がいうとNさんはカラカラと笑って、

「でも、いいですよ。おうちでそういっていられるんだからお幸せよ。わたしなんか、勤め先で、ボケてないように見せかけるためにごま化しごま化しするの、大へんなんですよ。ええとお……この会社からの入金は……と何げなく独り言をいってみせると、隣の男の子が、Nさん、この間、催促の電話をかけてたじゃないですか、ほら、来週、振り込まれることになったって……ああ、それはわかってるのよ、わかってるんだけど……うーん、ちょっとハテナと思うことがあって……いいの、いいの、こっちのことだから……なんてね。電話かけたこと忘れてるんです。それをごま化すのが、ほんと、たーいへんなんですのよォ……」

私は大声で笑わずにはいられない。

仲間――なんて嬉しい存在だろう。心おきなく何でもしゃべれる。わかり合える。ツーといえばカーだ。

私は例の飛行場の女史の話をした。Nさんは真剣な顔でふーむ、ふーむと唸り、

「おむすび風の美人……あっ、わかりました、あの人ね、テキパキして、しっかり

した人、男まさりというタイプの……ああ、あの人、なんていったかしら……ええとォ……」と考え込む。

「待って下さいよ、そこまできてるんだけど……苗字《みょうじ》は何か樹木に関係なかったかしら……柏とか榎《えのき》とか……」

「いや、そうじゃなかったと思うの。片仮名にして三字だったような気がするんだけど……」

「三字ねえ、片仮名の三字……うーん」

と便秘に悩む人さながらに、唸る。

「いいのよ、Nさん、そんな一所懸命にならなくても」

この人はとにかくすべてに一心不乱の人なのである。

「いいえ、でも気持悪いですからねえ、鳩尾《みぞおち》のところに何か閊《つか》えたようで……このままだとわたし、今夜眠れませんわ……うーん」

唸りながらマッサージはつづく。

突然、Nさんは叫んだ。

「元子！　名前は元子じゃありません？　元旦の元……」

「いや、ちがうと思うけど……でも、どこかに元はついてたような気がする……」

「木元！」

Nさんは百舌《もず》のように叫んだ。

「木元教子《のりこ》！」

「あっ、そうだ、木元教子！……」

Nさんはホーッと溜息《ためいき》をついた。

「あーあ、よかったこと……思い出せてよかった……ああこれでぐっすり眠れるわ……」

「おかげさんで、どうも有難う」

そうして私たちは顔を見合せ晴々と笑ったのであった。

撮影の日

「美しいキモノ」の編集部から、夏物の写真を撮らせてほしいといってきた。この頃は盛夏にきものを着る人が殆《ほと》んどいなくなってしまったので、夏物の紹介に困っているということである。

私は衣裳自慢するほどのきもの道楽ではないが、亡母が遺《のこ》していったきものが何枚かある。暮しにゆとりを持てるようになってからは仕事の疲れ休みに呉服屋をひやかしているうちに買う羽目になったものも何枚かある。まあ、今どきとしてはきもの愛好家の部類に入るかもしれない。

夏物を着て写真を撮るにはいささか寒い季節だが、虫干しのつもりで引受けた。引受けた後、春だというのに雪が降ったが、夏物特集であれば、座敷も夏向きにしつらえなければならない。まだ桜の蕾《つぼみ》は固いというのに障子、襖《ふすま》を外して葭戸《よしど》を入れた。床の間の掛軸も吉田一穂《いっすい》先生の書、「桃源」を島の墨絵に掛け替えた。

「あら、お軸もいかにも夏らしくて、いいですねえ……」

と当日、撮影隊つき添いの女性記者がいったが、この島の絵には実は「春の島」という題がついている。

その日は前日の寒さが急に消えて、初夏のような風の吹く気持のいい日だったから、絽《ろ》や麻を着ても頃合の気分だった。縁側の籐椅子《とういす》に腰を下ろして団扇《うちわ》など片手にポーズをつける。

「はあ、いいですね……うん、いい、いい……はい、そのままで目線をすこぅし、こっちへ……あ、きれいだ……うん、いい……」

カメラマンはベテランである。ベテランはみな口がうまい。あ、きれいですよ、うん、いいなあ、いい、いい、などといって、相手をよい気持にさせるのがコツなのかもしれない。中には、あ、きれいですよ、うん、などとはいい辛《づら》い場合もあるだろうが、そんなことは気ぶりにも出さず、おだてのアリアを歌うところがベテランのベテランたるところなのだ。

いつだったか、婦人雑誌のグラビア撮影に来た若僧カメラマンはひどかった。ムッとして入ってきて、ムッとしてあたりを見廻《みまわ》し、ムッとして場所を決めてムッとしてカメラを据えた。

いったいこの男、何が面白くなくてこんな態度をとるのか、と私も負けずにムッとした。なにもこっちから頼んで写真を撮ってもらうんじゃないのだ、そっちが頼むから仕方なく応じているだけじゃないか、というハラが私の方にはある。向うはどんなハラなのか、さっぱりわからない。このムッとした顔は、もしかしたら彼の地顔であって、べつだん気分を悪くしているのではないのかもしれない、だとすると、この男はこの地顔のためにずいぶん損をしてきているにちがいない。彼は自分の地顔への認識がないため、なにゆえかくも自分は他人から仏頂面《ぶっちょうづら》をされるのかがわからずに相手を憎み、ますます仏頂面がひどくなってきているのかもしれない——と思い直したりするほど、テキの仏頂面は徹底的にゆるむことがないのだった。

そして彼はムッとしたままファインダー越しに私にいった。

「笑って下さい……」

私はムッとしてレンズを睨《にら》んでいる。彼はもう一度いった。

「笑って下さい」

私は笑わない。ここまで人を不愉快にさせておいて、笑えとは何ごとだ。笑ってほしいのなら、笑えるように仕向けてから頼むがいい！

「笑って下さいませんか」

三度目、彼は「ませんか」とつけ加えた。それが彼のギリギリの妥協なのであろうか。

突然、私は口を歪《ゆが》めた。笑ったのである。私はヤケクソになったのだ。目はらんらんとレンズを見返したまま、口がニィーと歪んでいる——。

その写真が雑誌に出た時、友達が驚いて電話をかけてきた。

「いったいどうしたの！　愛子さん！」

「何が？」

冷然と私はいった。訊くまでもなくあの写真のことであることはわかっている。

「何がって、婦人××のグラビアの写真よう。鬼のようじゃないの……」

「しようがないでしょう。ああいうふうに撮れたんだから」

「どうしてあんな写真を出させたのよう」

出させたんじゃなくて、勝手に向うが出したのだ。

「若僧の、ヘンな奴が撮りに来たのよ。笑ったら損、て顔で『笑って下さい』ってね、口を動かさずに、陰々滅々、まるで『うらめしやァ……』っていうようにさ」

「なんでまたそんなのに撮らせたのよ……」

「知らないよう。婦人××の編集部に聞いてよ。どうせ撮影料を値切ったんで、カメラマンの方じゃ弟子かなんかをよこしたんじゃないのッ！」


つい筆が脇道に逸《そ》れたが、それ以来、私は「うーん、きれいだ、いいですよ、いい、いい」のすべてのカメラマンをベテランだと思うようになったのである。

庭からのそよ風を心地よく右頬に受けながら、私はカメラの方を見る。

「ハイ、ちょっとこっちの方を見ていただいて……そうそう、少しほほえんで……」

その時である。まるで無人の境を行くが如《ごと》くスルスルとチビが縁側を上ってきたのだ。

「あーら、上ってきちゃった……」

と女性記者さん。私のほほえみはその瞬間、凝固した。いつもなら、たちどころに、

「チビィッ！」

と叱声《しっせい》を飛ばしているところだ。しかし今はほほえまなければならぬ時である。手を振り上げて殴るか、足もとにいる奴を蹴飛ばすかしたいが、身動きならぬ。ベテラン先生がフィルムを入れ替えている隙に、

「チビッ！」

低声に怒気を籠《こ》めた。だがチビはどこ吹く風。私の足もとにのうのうとうずくまっている。今は何をしても叱《しか》られないことがわかっているのだ。

ハラワタ煮えくり返れど、どうすることも出来ない。足先はムズムズする（蹴りたくて）。胸はムカムカ。チビめはゆっくり、身体の向きを変え、前脚に顎《あご》を乗せて上目遣いに部屋の様子を見物している。

「あらら、すっかりくつろいじゃって……オホホ」

と女性記者は愛想笑いをする。なにも犬相手に愛想をふりまくことはないのだ。しかし彼女にしてみれば、このむさくるしいヨボヨボ犬を私の「愛犬」だと思っているから、愛想をよくしなければ、と考えたのであろう。

「この犬はね、まったく……何というか……厚かましい犬でねえ……私、いつも喧《けん》嘩《か》してるんですよ」

だから愛想笑いなどしなくていい、という意味を籠めていった。だが女性記者は

「オホホホ」と笑っただけである。まさか犬相手に本気で喧嘩する作家がいるとは思いもしないのであろう。

「年は、お幾つなんですか?」

「お幾つ」なんて犬に「お」をつける必要はないのだ。

「チビ、出なさい!」

私は小声の底に怒気を籠めた。

「チビッ、あっちへ行きなさい……」

ベテラン先生はカメラを取り替えながら、

「アハハ」

と笑う。

「ずいぶん、なついていているんですねえ……」

「なついてるんじゃないんです。ただ厚かましいだけで……お客さまの前だから、叱られないだろうと高《たか》を括《くく》ってるんです……」

いううちにもう抑えようもなく腹が立ってきた。

「いい気になりなさんなよ、チビ！」

とドスを利かせた。もう我慢出来ない。

——お客の前だから叱れないだろうと思ってるのかもしれないけれど、腹が立てば客の前だろうが何だろうが……と胸に叫んでむンズとチビの首輪を摑《つか》んだ。

チビは引き摺《ず》られまいとして首を下げ、踏んばる。私は無言のまま渾身《こんしん》の力を籠めた。そのまま、グイと首を庭の方へと捻《ね》じ向け、ズルズルと引き摺って庭へ落した。

「アハハハ」

「オホホホ」

とベテラン先生と記者さんは笑い声を上げる。笑うことによって一瞬漲った殺気を消そうとしたのかもしれない。ベテラン先生の弟子の青年二人の方は、こりゃオモロイ光景だ、とばかりにニヤニヤして見ている。絽縮緬《ろちりめん》に綴《つづれ》の帯を締めて上品そうにほほえんでいた「奥様風」が、一転して怪力をもって犬を突き落としたのだからさぞやおかしかったにちがいない。

「はい、ではもう一度。今度はこのへんを見ていただいて……そうそう……力を抜いて……肩から力を抜いて……おらくにおらくに……」

おらくもヘチマもあるかいな。

チビめはまたしても、隙《すき》あらば上らんものと、横目でちらちらこっちの様子を窺《うかが》っているのだ。あわよくば、座敷を通り抜けて前庭へ出ようとしているのだ。気を緩めるといつ、スルスルとくるかわかったものじゃない。あっ、もう既に前脚を敷居に掛けている……。

「お疲れでしょうが、もう少しご辛抱下すって……」

とベテラン氏は私が疲れてイライラしていると思っている。疲れてはいない。早くチビをやっつけたいだけだ。

漸く撮影を終え、一行は帰って行った。大急ぎで普段着に着替えて居間へ出て行くと、昔いた家事手伝いのAさんが来ていて、手提袋の中から菓子パンを取り出してチビとタローに与えているところだった。

「チビとタロー、まだ生きてたんですねえ。とっくに死んだと思ってたのに」

犬好きのAさんは、チビはもう死んだだろうが、代りの犬がいるにちがいないと思って、その犬にやるための菓子パンを持って来たのだという。Aさんがうちで働いてくれていたのは今から十年も前のことだ。

「だけど、またチビはすっかり変っちゃって……ショボくれたというか、ヨレヨレというか、マツゲは灰色になっちゃって、ハナは干からびて……」

いいながらAさんは菓子パンを投げる。チビは飛び上ってぱっと口で受け止めひと呑み。例によってもたもたしているタローの分まで横取りしてひと呑み。

「あらッ、まあ……ヨレヨレのくせに、なに、そのタイド！　それはタローの分じゃないの。これッ！　なんて厚かましいの。まッ、にくらしい、いつからそんなになったの、チビ！」

Aさんはほとほと呆《あき》れていった。

「先生、この犬はボケてきてるんじゃありません？　去年死んだうちのおばあさんがこうでしたよ。食べても食べても、際限なく食べたいんですよ。一日中ガツガツしてねえ。ひとの分まで取りに行く。そっくりだわ。これ、ボケがきてるんですよ」

「犬のボケってあるのかしら」

「そりゃあるでしょう。人間の病気は、犬にだってあるんですから。うちの隣の犬は淋病だっていってましたからねえ。ほんとにチビは人相……いえ、犬相が悪くなったわねえ。ボケると顔つきまで変るんですよ。うちのおばあさんがそうでした。シホントに可愛くないわねえ、チビ。なんて情けない犬になっちゃったんだろう。シヨボショボしてた目が、パンを見たら、キッと光って、急に巾着切《きんちゃくきり》みたいにキョトキョトして……ヤな犬！」

しつこいな。そこまでいわれると（その通りなんだけれども）私は面白くない。うちの犬だぞ。少し控えよ、といいたくなる。チビはボケてはいない。チビの犬相が悪くなったのは、多分、私のせいなのだ。

Aさんには何もいわず、ひそかに私はそう反省したのだった。

いつもと同じ朝

正月も間近というある日の深夜、眠っていた私は締めつけられるような背中の痛みで目が醒《さ》めた。その少し前から痛い痛いと思いながらも眠気を醒ますまいとして、強いて眠りつづけようとしていたのだが、これはもう眠るどころではなくなった。この疼痛《とうつう》は心臓だな、と思うと同時に目が冴《さ》えた。

実は数日前から、床に就いて暫くすると不整脈というのか、心臓の鼓動がトーンと強く打ったと思うとハタと消え、それからタ、タ、タと走るように打ってはまた元に戻るなどして、その間うまく呼吸が出来ないで気持が悪かった。しかし起きてしまえば正常に戻るので気にしながらそのままにしていた。思えばあれはこの締めつけられるような痛みの前兆だったのかもしれない。

愈々きたか、と思った。

腱鞘炎《けんしょうえん》とか白内障とか、いろいろと障りが出てきている今日この頃だが、内臓は胆のうに石を抱えているほかはどこも異状なく過してきた。いや、異状は既にどこかに起っていて、ただ自覚症状がなかっただけかもしれないのだが、自分では内臓は健康だと思っていた。

だがついにくるものがきたのか。

そう思いつつ呼吸を止めて痛みに耐える。

これが死にいたる痛みなのかな、と思う。

いよいよ、一巻の終り、幕を引く時がきたのか。

だが、「いよいよ幕を引くのか」などと思ううちはまだ死なないだろう、とも思う。いざ死ぬ時は、苦しくてそんな感慨に耽《ふけ》っている余裕はないだろう。これはまあ、死ぬ予行演習みたいなものかもしれない。私にも予行演習をする時がきたということなのだ。

それにしてもきつい予行演習だ。

痛い。

あまり痛いので娘を呼ぼうかと思う。私は一人暮しで、娘は三十分ほどで来られる所に住んでいる。

しかし娘を呼んだところで、この痛みがらくになることはない。娘はただ、

「大丈夫？　痛いの？　大丈夫？」

と繰り返すだけだろう。

大丈夫？　といわれても、私にはわからない。わからないのにやたらに訊かれると、私は困る。こっちはそれどころじゃないのだ、答を強要するな、といって怒りたくなる。返事をせずにいると、娘は救急車を呼ぶかもしれない。

そいつはまっ平だ。病院へ行かされるのは断じてイヤである。病院へ行けば必ず

「検査」という憎むべき事態になるだろう。あれをやられるくらいなら（といっても まだ体験したことはない。他人の話だけだが）、今、この場で死んでしまいたい。現行の「検査」とは、人間が人間としてではなく、物としてあつかわれることに甘んじねばならないということだ。私はそう確信している。自分が物になるばかりでなく、お医者、看護婦、みな人間でなくなる（そうでなければどうして患者を物としてあつかうことが出来よう）。

そんな世界に投げ込まれるくらいなら、私は死んだ方がましである。この痛みに耐える方を私は選ぶだろう——と思い、そう思えるうちはまだ大丈夫なんだろう、と希望を持つ。

ここで私が死んだら……私は想像する。まず最初に私の死体を見つけるのは手伝いのMさんだろう。Mさんはまだ若いから暢気《のんき》だ。朝九時半になると、

「おはようございまァーす」

と朗らかにいって入ってくる。玄関が閉っていても鍵《かぎ》を持っているから勝手に入って来て掃除を始める。表と庭を掃き、ピーの籠を掃除し、洗濯をし風呂を洗う。いつまで経っても私が起きて行かないことなど、気に止めない。昨夜は徹夜で原稿

書きをしたのだな、と思っている。しかし昼食の時間がくると、さすがに気になって階段を上ってくる。私の寝室の前に立って、ドアーを軽く叩き、

「センセェ」

といつもの可愛らしい声でいう。答がないのでもう一度いう。三度いい、それから少しドアーを開けて中を覗《のぞ》く。雨戸が閉っているから中は暗い。一歩入って、

「センセェ」

という。へっぴり腰で覗き込む。

「あのう、もうお昼ですけど……」

私のすさまじい死顔（心臓発作の苦痛に歯を食いしばり目を剝いている）が、開けたドアーから漂ってくる光の中に浮き上る。一瞬、息を吞んだ後、

「キャーッ」

とMさんは叫ぶ。Mさんの年、性格からいうと、必ず叫ぶ。Mさんと一日交替で来ている初老主婦のEさんなら、

「あッ……まッ……」

低く呻《うめ》くだけだろうと思う。

娘が呼ばれる。

我が娘はどうするか？

これがどうにも想像がつかない。どんな時もシラーとして喜怒哀楽を面《おもて》にせぬ娘だ。

「いやだねえ、何とかならないの、この顔。一生、目に残るよ……」

なんていうんじゃないか。ムコどのの方がずっと純情だから、私の形相を一目見るや忽《たちま》ち蒼白《そうはく》になって、もしかしたら気絶するかもしれない。

私が目を剝いて死んだと聞いて、編集者の大半は面白がるにちがいない。悲しむ人は殆どいない。喜ぶ人はいるだろう。ほっとする人も。そしていろいろと勝手なことをいう手合が出てくる。何しろ本人は死んでいるんだから、いいたい放題だ。それに人それぞれの解釈のし方というものがあって、僅《わず》かな現象が針小棒大にいわれることもあれば、したり顔で見当違いに分析されることもある。

この前テレビの「知ってるつもり?!」という番組でサトウハチローがとり上げられた。それによるとハチローは父佐藤紅緑《こうろく》に対して反発と憧《あこが》れを抱いていて、父のようになりたいという思いとあんな父にはなりたくないという相反する二つの感情が共存し、反発しつつ無意識のうちに父と同一化が行われたのだと分析されていた。

紅緑はハルという妻（ハチローの母）がいながら三笠万里子《みかさまりこ》という女優と同棲し、

やがてハルを捨てて万里子を妻にしてしまう。ハチローはそんな父を憎みながら、くらという妻があるのに女優歌川るり子と同棲し、くらと離婚してるり子を妻にする。父と子は同じようなことをしているのである。父親にうち勝とう、うち勝とうという思いから父親と同じ行為に走るのだ、ということであった。

「ふーん、そういうのをアンビバレンスっていうのね……なるほどねえ。ひとつ覚えたわ」

一緒に見ていた初老夫人はそういって涙を拭《ふ》く。涙を拭いたのはサトウハチローの「可哀そうな生いたち」そしてそれにもかかわらず明るく、豪放な笑い声を上げて、やさしい純粋な詩を書きつづけたことに感動したからだという。

私は彼女の涙に閉口しつつ、

「はーあ、そうですか……」

としかいいようがない。身内である私にはアンビバレンスだか何だか知らないが、そんなに小綺麗《こぎれい》に感傷的にまとめられたサトウハチロー像に不満を覚えずにはいられなかった。人間なんてそんなに簡単なものじゃないのだ。簡単にわかった気になるな、といいたかった。だからこそ小説というものが必要なのだ。だからこそ私は小説（人間）を書くのだ。

その後、人に会う度にいわれた。

「見ましたよ、ハチローさんのテレビ……よかったですねえ……」

「はあ、そうですか……」

「かなしい人だったんですねえ。お母さんの愛情を求める心が不良少年になり、あの詩になった……女性への遍歴になった……」

あまりにも度々いわれて私はヤケクソになり、

「うちはね、不良の血統なんです。それに女好きの血。色情の因縁です……」

簡単にまとめるなら、いっそこの方が簡潔でわかり易くないか？


「死人に口なし」になったが最後、したり顔の連中にどんなふうに料理されるかわかったものじゃない。褒《ほ》められてもけなされても迷惑なものだが、それは諦《あきら》めるより仕方がないのだろう。そんなことを考えているうちに心臓の疼痛は少しずつ鎮まって、いつか私は眠りに落ちていた。

そうして目が醒めると何ごともない朝がきていた。居間ではピーがいつものようにキィキィキィと啼《な》きしきっており、テラスには私の足音を聞いたチビがはやガラス戸に鼻面をすりつけて鼻息でガラスを曇らせ、タローは向う向いてどたーッと寝ている。

昨夜、私が死んでいたとしても、いつもと同じこういう朝がきているのだな、と思う。

「おはようございまァす」

Mさんが庭箒《にわぼうき》を手に、庭から叫んだ。

「センセェ、チビはピーちゃんのウンコまで食べるんですよぅ……」

チビはついに本格的な「食いボケ」になったのだ。

「昨日は中華饅頭《まんじゆう》のお尻に貼ってある紙を食べましたでしょう。まさかと思ってやってみたら、カマボコの板も齧《かじ》って食べてしまいましたもの」

「カステラの薄紙も食べたわね」

「それにカビの生えたお餅」

「たくわんのシッポ」

「ピーちゃんが食べ散らした餌を食べるだけでも驚いてるのに、さっきはウンコで汚れた紙を食べちゃったんですから……」

チビは食いボケ。こっちは心臓発作。今日は人の身、明日は我が身にふりかかる。共に老いてきた私とチビだ。私だっていつピーの餌を食べるようになるかもしれない。

　ガラス戸を開け、

「チビや」

と呼び、その声にしみじみと親愛の情を籠めたのだったが、チビは見向きもせずにまっしぐらに居間に上り、す早い匍匐《ほふく》前進で床に落ちていた乾柿《ほしがき》のヘタを食べたのであった。

第四章　なんでこうなるの

我が老後2

文藝春秋刊
平成七（一九九五）年
著者七十二歳

◆キーワードで見る当時の世相◆

平成5年　浅草に墓のマンション誕生

東京・浅草に墓の9階建てマンションが誕生。奥行48cm、幅50cmで282万円から。

子供の好きな食べ物のアンケートをとったところ、①ハム、ソーセージ　②ラーメン　③牛肉　④鶏肉、となる。魚はベスト10に入らず、日本人の食生活の変化を表す。

平成6年　在宅死、減少傾向

外国人が刑事事件で有罪判決を受けるケースが急増、昭和58年には238人だったのが約10倍になった。

この年の全国の死亡者数87万5933人。そのうち在宅死は19.9%。昭和55年では38.0%。昭和35年では70.0%。自宅で亡くなる人は減少傾向。

平成7年　女子学生の就職「超氷河期」

国連児童基金（ユニセフ）が、地域紛争で死んだ子供は、過去10年間で200万人、100万人が孤児になったと発表。

女子学生の就職難が続き、「超氷河期」といわれる。

もったいない病

北爪督人《きたづめとくじん》さんは私の二十代（北爪さんの方は十代？）からの文学友達である。始終会うという間柄ではないが、時々、思い出したように手紙をくれる。七月、その北爪さんからひょっこり手紙がきた。

「拝啓　御無沙汰して居ります。

『三十年来住み馴《な》れた自宅を改築することになりまして……云々《うんぬん》』という事柄を実行致す愛子さんに、ビックリしているのです。

改築して、生き延びて三十年——と考えていらっしゃると愚考致します。もっともその位の事を考えるのが当り前の『佐藤愛子』だと思いました。

しかし大体、小説家は若死ですョ。……」

というような手紙である。北爪さんは七十になって家を建て替える私に驚いて手紙を書く気になったらしい。私は、「そんなに驚くほどのことかなあ」という気持である。そういう北爪さんも相当放胆な人生を送っている人だ。その北爪さんが「ビックリしている」というのが、私にはへんに新鮮だった。

それから間もなくある人が来ていった。

「この前、M先生（作家の）の所へ伺いましたら、佐藤愛子さんは幾つだね、とお訊《き》きになって、確か古稀《こき》だと聞きましたがと申し上げますと、丁度そこにいらした奥さまが、『まあ、佐藤さんは七十から家をお建てになるの……』とそれはそれは驚いていらっしゃいました」

私は北爪さんの手紙を思い出し、ふーむ、やっぱりそうか、そう考えるのが普通なのか、と改めて認識した。しかしそう認識したからといってどうなるものでもなかった。

またある日読者からこんな手紙がきた。

「前略、突然お手紙を差し上げて申し訳ありません。

『オール讀物』の随想を拝読してびっくりしました。

（私のような者がとは思うのですが）家をぶっ壊すのはもう一年延期なされた方がよいです。事情は随想からしか判りませんが、とにかくもう一年待たれた方がよいです。

こんなに出しゃばって本当にすいません。

私は六星占術の細木数子《ほそきかずこ》さんの占いをみてこんなことを書いているのですが、先生は金星人の亥《いのしし》年、陰という星まわりで、平成四年から六年までの三年間は〝大《だい》殺界《さっかい》〟という運期なのです。

〝大殺界〟の三年間は結婚、就職、転職、引越、出産、転校、事業をおこす、お店を開く、家を建てる、マンションを買う、あるいは改名など、一生を左右するようなことは絶対に避けましょう。

自分一人が苦しむだけならまだいいのですが、下手をするとまわりにまで大きな迷惑をかけてしまうことになりかねません。そのときになって後悔してもどうしようもないのです。

〝大殺界〟のときにしかけたことはまちがいなく後になって取り返しのつかない事態を招きます。またこの時期に出会った人も、後々かならず災厄をもたらしますので慎重に付き合わねばなりません。そして肉体的にも精神的にも病気になりやすいのもこの時期です。

たかが占いだと思いたいのですが、この六星占術の場合、当るのでやはり心配になってしまったのです。

失礼とは思いますが、先生の随想を読んで何だか今までと違ってやけっぱちになってるみたい……と思いました（すいません）。

先生のご性格ですからご無理かもしれませんが、せめてどなたかにご相談してからに……と願っています……」

読者は有難い。「先生のご性格ですから」という一言で私の本をよく読んでくれている人だということがわかる。「こんなに出しゃばって本当にすいません」と謝りながら（私が怒り出すのではないかと心配しながら）、それでもいわずにはいられないその真情が有難い。「すみません」ではなく「すいません」と素朴なところが嬉《うれ》しい。

嬉しいがしかし私は「大殺界」を怖《おそ》れて計画を中止する気にはならない。「大殺界」をバカにするわけではないが、

――そうか、大殺界か。よし、ではひとつ挑んでみよう……。

そういう気持である。べつに強がりをいっているのではない。「大殺界」が当るか当らないか、大殺界に負けるか負けないか、とにかくやってみるしかないのだ。

そもそも私の半生は毎年大殺界みたいなものだった。だから大殺界の抗体が出来て、中毒になっているのかもしれない。

「七十になってから家を建てた人って、建ち上ってから死ぬ人が多いんだって」

と姪《めい》がいった。

そうか。そういうことであればよく見ておくがいい。私が死ぬか、死なないか。死なないとはいわぬ。死なないかもしれず、死ぬかもしれない。死ぬとしたらその時は、

「やっぱり当ったね！」

そういって死んでいくしかない。遺《のこ》った人も「やっぱり当ったね」というだろう。それでよい。


五月に入って愈々《いよいよ》、家の中の片づけに取りかかった。六月十七日が取り壊しの日であるから、それまでに家を空っぽにしなくてはならない。その後は来年三月、家が建ち上るまで、神奈川県の海岸の町のマンションに独りで住む。

私は若い手伝いのMさんを相手に、暇を見てはまず本をダンボールに詰めはじめた。庭の隅に建てたプレハブにそれらを運ぶ。本の次は食器棚、整理箪笥《だんす》の中身、台所のガラクタへと進む。Mさんは若いが力持ちで、しかもなにゆえか私と同じ「もったいない病」の持主である。

「先生、これ、どうします？　とっときます？　捨てます？」

と訊き、「うーん……そうねえ……」と私が思案顔になるのを見るや、

「あ、とっとくんですね、とっときましょう、まだ使えるわ」

とプレハブ行きのダンボールに入れるのが実に頼もしい。古メガネのフレーム。あ、これは兄に送ってやります。なに女モノでもいいんです。あ、この服、わたし着ます……。彼女は折りたたみ式の古卓袱台《ちゃぶだい》（四十年前からある）とすり切れた電気カーペットを嬉々《きき》として持って帰った。私に息子がいたら嫁にしたいくらいだ。

ある日曜日、某社の女性編集者Aさんが手伝いに来てくれた。マスクとエプロンと軍手を用意している。Aさんはマスクをかけながら、ジロジロと家の中を見廻《みまわ》し、

「これはどんどん捨てましょう！　捨てなければどうしようもないわ！」

実に嬉しそうにはり切って叫んだ。彼女は「捨て魔」ともいうべき人だったのだ。

「この間も夏に備えて冬のセーターをどさっと捨てたんですよ、ハハハ」

と笑う。

「セーターを？　な、なんで捨てるの？」

「だって邪魔なんですよ。それに飽きちゃったし……。先生の前だけど、生活をリフレッシュするためには捨てないとねえ。食器なんかもある程度使うと飽きちゃっ

て、趣味に合った新しいものでサッと揃《そろ》えたくなるでしょう？　なりません？」

そんなものならないよう、といいたいのを怺《こら》え、

「独身貴族というのはあなたのような人のことなのねえ……」

歎じてみせたのは、わざわざ日曜日をフイにして手伝いに来てくれた人への礼儀というものである。

私には捨てたくないものが沢山《たくさん》ある。例えば鍋やきの鍋蓋《なべぶた》だ。目下、鍋やきの鍋は九人前しか揃っていない。一つは身の方を割って蓋だけが残っている。だがそのうちにいつか残っている鍋の蓋の方を割るかもしれない。その時には今、取ってある蓋を使って立派に一人前の鍋が出来るのである。

だがAさんにとってはそれはただの半端モノである。

「なに？　これ？　下がないのね」

ポイと捨てられた。

私はそれにワンカップ大関のコップも捨てられたくない。私は日に三度、白内障の進行を止めるための漢方薬を煎《せん》じて飲んでいる。その時、ワンカップ大関の「コップに一杯」が丁度よい分量なのである。ほかのコップでは多すぎたり少なかったりする。それに「白内障の煎じ薬」と「ワンカップ大関のコップ」は何となく似合

うのだ。人は知らず私はそう思っている。

だがAさんはいった。

「なァにィ？　こんなコップまでとってあるんですかァ……まあ、驚いた……」

ポイ、だ。

それから、そうだ。欠けた洋食皿。ヒビの入ったどんぶり。こんなものしようがないでしょうとAさんはいうが、私の家ではよく鉢植えをもらう。それを根分けするとどんどん数が増えていく。カニサボテンなんて丈夫なサボテンはまったくいい加減にせえといいたいほど繁茂していく。その時、根分けしたサボテンの、鉢の下に受け皿が必要になるのだ。欠け皿を取っておくゆえんである。

私はだんだん気が滅入《めい》ってきた。はじめのうちは、「あ、ちょっと待って。Aさん、それ使うのよ。捨てないで」といっていたが、たび重なるといえなくなってきた。

Aさんは捨てたいのだ。捨てる快感を求めてAさんは勇んで手伝いに来たのかもしれない。それをいちいち阻止するのは気の毒である。気の毒ではあるが私はそうポイポイと捨てられたくない。この二律背反が私をして気を滅入らせしむるのであった。

そうとは知らずAさんは意気軒昂《けんこう》。それは捨てないで取っておきたいと私がいう度に、「おやおや、これもとっとくんですか」とか「これも捨てないの、アーハハハ」とか次第に侮蔑的な（と私は感じる）態度を示すようになってきたのだ。

ここは私の家だ！　私のものだ！

私は叫びたい。Mさんは目を伏せ沈痛な面持ちになっている。

「先生、これ、とっときました」

小声でいってゴム輪をしまっておいた小箱をこっそり見せる。私たちはいつか、敵の手に落ちた敗軍の将と忠実なる従卒という趣になっているのであった。

Aさんは「では次の日曜日に」といって機嫌よく帰っていったが、私とMさんは「この次はことわろう」という結論を出した。

「わたし、頑張ります！　一人で大丈夫です！」

Mさんは眉宇《びう》に決意を見せていう。

「わたし、Aさんが『これ、汚いからもう捨てましょうね』といって鰹節削《かつおぶしけず》りを見せた時、もう、先生の顔見てられませんでした」

「あれは汚れてるけど、カンナがとてもいいのよ。おふくろの時代から使ってるんだもの」

「でも、『そうね、捨てて下さい』っていわれました……」

「ヤケクソになったのよ。もうもう、何でも捨てやがれ！　捨ててやる！　殺せ！　死んでやる！　って感じ」

「はあ、ヤケクソだったんですか……」

「あそこでヤケクソにならなければ、プッツンしてきっと号泣してたわ」

「わかります。そのキモチ」

「大殺界」よりも私にはこの方が問題なのであった。

中山あい子はいみじくもいってくれた。

「あんたみたいに色々と主義を持っている人は苦労が多いよねえ……」

しかしこの場合は「主義」というべきものかどうか、私にはわからない。ただ単に「ケチ」といえばそれですむことなのかもしれないのであった。

人はダサいというけれど

お孫さんの幼稚園はどちらですか？　とよく訊かれる。どちらもこちらもない。私の家を出て間もなく角を曲り、三十メートルほど行った先の「家庭幼稚園」という幼稚園である。

「どちらですか？」と訊く人は、多分、有名幼稚園を予想してのことなのだろう。家庭幼稚園です、という返事を聞くと、気ヌケしたように、「はあ……」という。

どだい、この私が孫を有名幼稚園へ行かせたいと思うようなばあさんかいな、といいたい。幼稚園なんてものは近い所が一番いいのである。近ければ送り迎えをしたり、交通事故の心配をしなくてもすむ。金もかからぬ。送迎バスがあるから安心よ、なんていっていても、運転手の不注意などで、いつどんなことが起きるかわからない今の世である。昔は誘拐されるのはカネモチの子供と決っていたから、うちは安心だという思いがあったが、今はカネモチもそうでないのも無差別にやられるようになっているから安心出来ない。

かといって自家用車で母親が送り迎えするような暇は我が家にはない。第一、ただでさえ車が多い東京の街、幼稚園のチビのために道路を塞《ふさ》ぐなど控えたい。それに何より、有名幼稚園とやらに行かせるような家庭はカネモチ、あるいはカネモチ風を好んでいるに違いなく、そういうカネモチとのつき合いは性に合わない。

「性に合わないといっても、佐藤さんはおばあちゃんであって、親ではない。まして娘さんがお嫁に行った先のお孫さんでもあるのですから、佐藤さんの考えを押しつけたりしてよろしいのですか?」

といわれた。それはよろしくないでしょうね、押しつけるのは。

しかしべつに私は押しつけた覚えはないのですよ。ただね、カネモチの子供とのつき合いというものはいろいろと面倒くさいことがあって、やれ「お誕生パーティ」やれ「クリスマス」やれ「雛《ひな》祭り」と折にふれ呼んだり呼ばれたり。お誕生パーティのプレゼントは何にするの? とか、何を着て行くの? とか、なんてご挨拶するの? とか、呼ぶ場合はこんなご馳走でいいだろうか、ケーキはセブンイレブンのなんかじゃダメよ、とか、テーブルのお花は何にする、とか、お土産《みやげ》は何がいい、とか……想像するだけでサブイボが立つんですよ……。

「それは大変だと思いますけど、何もまわりがそうだからといって、それに合せなければならないということはないんじゃありません？　それこそ他はどうであろうと主体性を貫けばいいことであって……」

しかし私の娘は主体性を貫けるほど強力な自我の持主ではないんでしてねえ。私がそんな話——誕生パーティとかクリスマスとかの大変さを語って聞かせただけで、もう意気沮喪《そそう》して、有名幼稚園に対して拒否反応を示すようになりましたから。ハハハ。

「でも本当に、そんなに大変なんですか？　有名幼稚園のおつき合い……」

実態は知りませんけどね、これは私の想像の話です。想像の話聞いて、ビビってるんですよ、娘は。アソバセ言葉でお母さんたちとつき合わなくちゃなんないよ、と。それが最後のトドメでした。ハハハ。

かくて我が孫は「家庭幼稚園」の園児になることに決ったのである。「家庭幼稚園」はかつて我が娘が行った幼稚園でもある。当時の園長の吉賀《よしが》ハナ先生は実に立派な園長だった。幼稚園の教室の壁は、色とりどりの紙で作った花で飾られていたが、その造花はすべて古い包装紙で作られていた。リボンも紐《ひも》も古いものが工夫されていて、それだけで私は吉賀先生の生活観、育児の精神を垣間見《かいまみ》た思いがしたものである。

「家庭幼稚園に吉賀先生の精神が生きている限り、家庭幼稚園こそ、理想の幼稚園です！」

と私は娘に向って演説したのだった。


朝から今日は妙に静かだと思っていたら、孫と娘は家庭幼稚園へ必要品を買いに出かけて行ったらしい。この日は四月からの通園に関する先生の話もあるという。

やがて昼過ぎ、

「おばあちゃーん……」

という声がして、孫が入って来た。一目見て、

「やあ！　やあ！……」

と私は叫んだ。いやはや、見るからにダサい園児服だ。ゴワゴワの鼠色《ねずみいろ》のスモックに黄色い鞄《かばん》を肩から掛け、紺の帽子は大き過ぎて、眉《まゆ》にかぶさっている。

「結構！　よろしい！」

私は笑う。

私は子供はダサいのが好きだ。ダサい子供にはそこはかとなき哀れがある。自分のダサさを知らない哀れ。そうして一所懸命に頑張っているという健気《けなげ》さ。孫は得

意満面で鞄を掛け、帽子をかぶったままご飯を食べている。こういう時、私は孫を可愛いと思うのだ。

　娘がいうには、打ち合せ会はワアワアガアガア、騒々しくて先生の声もよく聞えないという騒ぎ。中に片時もじっとしていない二重顎《にじゅうあご》の黒人の男の子がいて、あっちで喧嘩《けんか》、こっちで喧嘩。泣く子、叫ぶ子、やっつけられてひっくり返っている子供の上に、黒人の子供は遊び道具などをボカボカ投げる。その子のお母さんは、オウ、ノウ、ノウ、ノウ、というばかり、という騒動だったらしい。

　その騒ぎの中、我が孫はというと、

「よしなさいったらよしなさいよッ！」

　いつも母親からいわれている台詞《せりふ》を叫んでいたという。

　それから孫は足を踏んばって、眉の上で横向きのVの字を作って叫んだ。

「ピンクシュガーハート　アタック！」

　そうしたら？　どうした？　その黒人の子。

「どうもしやしないわ。大きいサイコロみたいな運動用具が積んであるのを、投げまくってたわ」

　うーん、こいつは面白くなってきた。

だからこういう幼稚園は捨て難いのだ。

その黒人の子供をヒイキにしよう。

「そのうち、うちへ呼んでおいで」

「ダメよ。家中のガラス割ったってお母さん、歎《なげ》いてたもの。もうこれ以上家にいられたらかなわないから、課外授業も受けさせてなるべく家にいさせないようにするんだっていってたわ。とにかく胸板なんて、子供なのにバーンって感じで厚ぼったくて、特大の人形焼みたいな感じよ。力はあるし、機敏だし、あんなの来られたらかなわないわ」

そう聞くとますます気持が惹《ひ》かれる。

「またまた、それがママの悪い癖よ。それで呼んで来て、モモコと喧嘩になって、庭の植木やらガラス戸やらメチャメチャにされたら怒るんだから。怒らなきゃまだいいけど必ず怒るんだから……。危い、危い……」

「うーん」

と私は唸《うな》る。娘のいい分は多分その通りだろう。しかし私はまだ諦《あきら》め切れずにいる。

夜、書斎で本を読んでいたら娘がドアーから顔を出して、

「ママの好きなCMやってるよ」

といった。

「なに?……あ、そうか……」

急いでテレビをつけた。

「みんなで　ワスケ
みんなで　ワスケ
たーのしさ、まんぞく
ワスケへ行こう……」

と歌が始まっている。

私はこのCMが好きなのである。そういうとみんな「えッ!」と心底驚き、

「かわってるねェ」

まじまじと私を見つめる。これは12チャンネルしかやっていないので、簡単に見るというわけにはいかないCMである。

長い間、私はこれがかに料理店のCMだということを知らなかった。そういうことに気がいかないくらい、このCMのダサさに心奪われ、犬とも熊とも狸《たぬき》ともつか

ぬ赤いバカでかい縫いぐるみがお辞儀をすると、大きなお尻が持ち上ってその先に三角形のシッポが現れ、それがヒラヒラと揺れるのを呆然《ぼうぜん》と眺めたものである。

——いったい、これは！……

その歌の何ともいえないお粗末さ！　犬とも熊とも狸ともつかぬそのバカでかい赤い縫いぐるみの何たる安っぽさ！　その胴の下の方にはＷＡＳＵＫＥとローマ字が入っているダサさの上に、何と……そやつの耳は、棒の先についたハートであることを発見。お辞儀をした時に背中に現れる「たてがみ」と覚しき一本の線はピカピカ光る玉コロのつながりであること。いやはや、これぞ完全無欠のダサさというべきだ。

それにまだある。そのワスケ人形（？）の背後に、幟《のぼり》を手にした盛装の和服女性がいて、彼女は「みんなでワスケ」の歌に合せて、幟を右手に、その場で足踏みをするのである。歩くのではない。足踏みなのだ。

——いったい、これは！

私は同じ言葉しかいえない。

これとかに料理とどこでどう関《かかわ》っているのだ！

これらのすべてに私などにはわからぬ深甚な意味が籠《こ》められているのだろうか？

それとも意味など考えず、思いつくまま、殆《ほとん》どヤケクソでこういう図柄を作ったのだろうか？　あるいは、現代の広告芸術への挑戦であろうか？　かに料理なら、かにの縫いぐるみかハリボテを出してくるのが、凡俗の考えることである。それなら一目でかに料理のＣＭであることが誰にでもわかる。

だが製作者はあえてかにを出さなかった。

かにを出さず、得体のしれない赤いワスケ人形なるものを出すことによって、これは何だろう？　という視聴者の疑問驚愕《きようがく》を誘い出し、そこから「和助」の何たるかに思いが届くようにと勘考されたものであろうか？

しかし安い放映料のためだろうか、思いがそこへ届く前に映像は消えてしまうのである。わけがよくわからぬままに見る者の頭には、

「みんなで　ワスケ
みんなで　ワスケ」

の歌声だけが残るのだ。

——なにもたかだか数秒のＣＭのために、そんなにムキになって論じ立てることはなかろうといわれるかもしれないが、私はこのワスケが気になって仕方がないのだ。

これを製作した人に会ってみたい。

どこから、こういうアイデアが出てきたかを聞いてみたい。

それよりも何よりも、どういう風貌の人がこれを作ったのか、その顔が見たい。

あの幟を持って足踏みしている女優さんに、足踏みの感想を聞いてみたい。

このCMでナンボの儲《もう》けなのか、是非知りたい。

——といっても決して決して私はこのCMをバカにしているのではないのである。私はこういうダサさが好きだ。素朴を通り越したダサさ。今のような時代にはこれは一服の清涼剤だ。

ダウンタウンの松本さんは、オレらのギャグに笑えぬ奴はアホだ、というようなことをいわれたということだが、七十年の苦楽を経てもはや化石人間になりかけているためか、何と罵《のの》しられても笑えぬものは笑えないのである。

このワスケのCMの最後に、ワスケ人形の顔半分が左横からちょっと覗《のぞ》く。それを見ると私は、

「ワハハハ」

と笑う。おかしいというよりも、そのダサさの徹底ぶりが嬉しくて、私は笑うのである。

皆さん！　揃《そろ》ってワスケへ行きましょう！

第五章　だからこうなるの

我が老後3

文藝春秋刊
平成九（一九九七）年
著者七十四歳

◆キーワードで見る当時の世相◆

平成７年　１ドル70円台に突入
超円高は相も変わらず、４月には一時１ドル79円になり、平成不況が続く。
女子の四年制大学進学者が短大進学者を初めて上回る。

平成８年　O-157の感染者8000人以上に
ペルーの日本大使公邸がゲリラに占拠される。
O-157の恐怖。岡山県での集団発生を皮切りに、全国の感染者が8000人に達し、死者７人を出した。原因について、厚生省が「カイワレ大根」との見解を発表し、カイワレ大根生産関係者は猛反発。結局、カイワレから菌は発見されなかった。
非加熱輸入血液製剤からエイズに感染した血友病患者が死亡した「薬害エイズ事件」で、東京地検が安部前帝京大学副学長を逮捕。

平成９年　フリーター150万人に
進まぬ改革、景気停滞により、世は不機嫌な時代に。
定職を特に持たないフリーターは150万人。５年間で50万人増。
ストーカー犯罪が急増。

私の舞踏会手帖

ジュリアン・デュヴィヴィエの名作「舞踏会の手帖」のビデオテープを手に入れた。この映画を最初に見たのは私が女学生の頃で、その後も折にふれ思い出してはあの美しいロマンチシズムにもう一度触れたいものだと思い思いしていた。映画の思い出を語る時は必ずこの映画の美しさを語ったものである。もう二度と見ることは出来ないと思うと、「舞踏会の手帖」の思い出は愈々《いよいよ》美しく、はかなく切なく胸を締めつけたものである。

それがビデオテープに作られたという。早速買った。わくわくしながら見た。暇さえあればくり返し見ている。そして思わず一人で叫んでいる。

「——映画はかくありたいものだ!」

男女が裸で重なってフウフウいえばいいってもんじゃないのだ。

夫を亡くしたばかりの若い未亡人クリスチーヌは、ある日二十年前に舞踏会にデビューした時の手帖を見つけた。そこにはかつて彼女に恋を囁《ささや》いた青年たちの名前が記されている。彼女は思い出に導かれてその一人一人を訪ねる旅に出る。と、そこには今、二十年後の中年になった男たちの姿があり、過去は消え去って彼女は現実の時の流れをまざまざと知らされる——。

この映画の中で私が特に好きなのは、ルイ・ジューヴェが出てくるキャバレーの場面である。昔文学青年だったピエールは今はジョーという名のキャバレーの経営者、実はギャングの親玉になっている。今夜も手下共を動員して盗みに行かせようと忙しくしているところへクリスチーヌが訪ねて行く。だが彼は彼女を見ても気がつかない。彼女はボーイを呼んでこう伝えさせる。

「凍《い》てつける公園を

影ふたつ過ぎ去りぬ」

それはかつて彼が口ずさんでいたヴェルレーヌの詩である。ジョーは彼女に気づく。テーブルへ来て今のクリスチーヌの身の上（未亡人になったこと）を知っていう。

「何か用でも？……金かい？」

だが、彼女がただ会いに来ただけと知ってから、次第にジョーは消えて昔のピエールが戻ってくる。彼は囁く。

「凍てつける公園を
影ふたつ過ぎ去りぬ
古き愛を今も思うやと
なぜに君　聞きたもうや……」

キザというなかれ。乙女の日の私はこのあたりからもうわくわくしてきて殆《ほとん》ど泣きたくなったものだ。そして今の私はあの頃の「泣きたくなった私」を思い出して胸迫り、やっぱり泣きたくなるのである。

私のそんな述懐を聞いて、若い友人は私の「舞踏会の手帖」を書けという。

だが私の若き日なんて、なーんにもない。驚くべき殺伐たる青春なのだ。

「舞踏会とは何だッ！　この非常時に何ごとかーッ！」

という時代なのだ。私の日常は「兵隊さんの出征見送り」「戦死者の遺骨出迎え」「トントントンカラリと隣組」の寄り合いで東を向いて遥拝すること、そうして「防空演習」である。ヴェルレーヌの詩を暗誦《あんしょう》したりする奴は「国賊」だった。

私の友達の一人は「女子挺身《ていしん》隊員」として海軍工廠《こうしょう》の中に閉じ籠《こ》められた。そこには若き海軍士官がいたから、火叩《ひたた》きと濡《ぬ》れムシロを持って走っている私よりはロマンスが芽生える可能性があった。彼女は海軍士官にキスをされ、妊娠するのではないかという心配に身も細る思いであったという。彼女はキスで妊娠すると思っていたのだ。あんまり彼女が心配するので士官はイヤ気がさしたのか、そのうち寄りつかなくなった。しかしそんな青春のロマンスがあるだけ、私よりはマシなのである。

彼女は独身のまま四十を過ぎたが、ある日、退屈まぎれにかの士官を思い出し、居所を捜して手紙を出した。早速、再会することになって中野駅前で落ち合ったところ、地黒角顔、ボテボテのおっさんが現れたので、のけ反らんばかりに驚いた。(だが先方でも同じことだったかもしれない)

ボテボテおっさんは彼女を鰻《うなぎ》屋へ連れて行った。メニューには松・竹・梅という重の値段が分れている。勿論《もちろん》、松が一番高い。しかしおっさんは「梅」を注文した。しかもキモ吸いなしで。二人は「梅」を食べて別れ、それっきりだ。

これが「舞踏会の手帖」の日本版である。それでも私よりはマシだ。古木綿で作ったモンペに綿入れの頭巾《ずきん》をかぶって、火叩き持って走っていた私。今日は大根の配給があると聞いて、八百屋に向って走った私。大根だって一本まるまる買えるのではない。半分ならいい方で、家族の人数によって三分の一とか四分の一に切ったものを下さる（といっても金は出す）のであるから、何とかシッポの方ではなく真ん中へんのいい所を、とひたすら願って走った私。米配給所の青年が「これ内証でッせ」と乾燥玉子を一袋くれたのが、今思うとあれが唯一のロマンスのカケラだ。

それでも戦争がまだそれほど熾烈《しれつ》でなかった頃（女学生の頃）、学校から帰って来ると私の家の近くのドブ川の所で、自転車に片脚を掛けて私を待っている中学生がいた。いつも行動を共にしていた親友のモンちゃんと私は、

「またいる！」

と小声でいい合い、ツン！　として通り過ぎた。たいていの場合、彼は黙って我々を見ているだけだが、たまに「今、帰り？」などと声をかけてきたりする。と、私たちは忽《たちま》ちエリマキトカゲのように怒って、

「見たらわかるやろ！」

小声で毒づきながら、鼻先を空に向け、「フン！」とにくにくしげに歩み去った。今考えてみると道で待っているだけで何も悪いことをしていないのに、どうしてあんなに嫌ったのかと思うが、つまり当時の思想ではそんなことをするだけで「不良」「非国民」だったのだ。

月日は過ぎ、私が四十代の終りにさしかかった頃、自転車の彼Kが突然訪ねて来た。「今、帰り?」「フン!」の時から敗戦を挟んで三十年近い年月が経《た》っている。名乗られても私はピエールのようにすぐには思い出せなかった。今Kはイギリス女性と結婚してロンドンに在住しているが、商用とかで日本へ帰って来て男版「舞踏会の手帖」の気分になったらしい。

面白半分に私はモンちゃんを呼んでうちでスキヤキをした。炬燵《こたつ》を入れている頃だったが、私とKは向き合いに、モンちゃんはその間の一辺に坐《すわ》っている。炬燵は大勢が入れるように、特大の掘炬燵である。食事が終って暫《しばら》くすると、炬燵の中でモゾモゾと私の足に触れてくるものがある。Kが向い側から足を伸ばしてチョッカイをかけてきているのだ。私は思いっきりそれを蹴飛ばした。蹴っても蹴っても足はまとわりついてくる。

「キモチ悪いやないの! やめなさい!」

ついに私は怒鳴った。モンちゃんはわけがわからずキョトンとしている。

「怒らんかてええやないか」

とKはいった。そういう彼は大掘炬燵の向い側から足を届かせるために、胸まで深く炬燵の中に入っているのだった。

「舞踏会の手帖」でピエールはいった。
「むかし、君を抱いて……」
クリスチーヌが答えた。
「十六のとき……」
ピエール「無分別にも二人で遠出して」
クリスチーヌ「川に沿った橋のところまで」
P「あれから何年……」
C「夕暮どきで」
P「純情だった」
C「黙ったまま」
P「考えていて……君の首筋にキスした」
C「あたしは目を閉じたまま」
P「可愛いものだった」
C「将来を語り……」
P「夢物語だ……」

今は返すよしもない若き日の思い出を二人は語り合う。そしてピエールはいう。
「青春を忘れずにいたら、純情でいられる」
——青春を忘れずにいたら純情でいられる、か……。しかし青春を忘れずにいても、今も昔も純情ではない、というのが私の場合なのだ。
K「むかし、君を待って」
私「十六のとき」
K「無分別にもニタニタ笑いして」
私「ドブ川の曲り角で」
K「あれから何年……」
私「夕暮前で」
K「イケズやった」
私「アホやった」
と二人同時。
私「黙ったままツンツンして」
K「話しかけたら」
私「せせら笑って」

K「にくらしかった」

私「いやらしかった」

と二人同時。

K「夢物語や……」

まあこんなふうになってしまうのである。

「人は妙な道を辿《たど》る」とピエールは述懐する。「今は別人になってしまった」と。

しかし私とKは今も変らぬKであり私だ。お互い妙な道を辿ったかもしれないが、なぜか別人にはなっていないのである。


ピエールとクリスチーヌが思い出に浸っているところへ、警察官が入って来る。

「来るんだ」

と警察官がいう。ピエールは回想から醒《さ》めて立ち上る。そしてクリスチーヌにいう。

「連行されるのはジョーだ。ピエールは君に残す……」

いってくれるじゃないか。何というキザ！　そしてカッコよさ！　私の胸はわくわくと慄《ふる》え、締めつけられ、涙がジワジワと湧《わ》き出てくる。

だが私の方のKは帰り際に何といったか。

「ほんならサイナラ。ごっつぉさん……」

その時私はふと思いついて彼のイギリス人の奥さんへのお土産だといって「金の牛」の置物を渡した。その金の牛は当時、好景気だった企業の何かの記念品で、二つも送られて来、置き場に困っていたのだ。

「なんや、これ、重たいなあ」

とKは迷惑そうにいった。迷惑にはちがいない。私だって迷惑していた金の牛だ。しかも二つもある。誰かにあげるといっても誰も「いらん」という牛だ。

「金の牛よ。金よ、金……。だから重たいのよ」

私はいった。

「イギリスの人にはきっと珍しいでしょ。奥さんのお土産、もう買ったの？」

「いや、まだや」

「そんならこれ持って行ってあげなさいよ。喜びはるわよ、きっと……」

「ほな、あんたの記念にもろとこか……」

そういってKは重そうに金の牛を提げて帰って行ったのだった。

私の「舞踏会の手帖」というと、こういうことになってしまうのである。どうしてもロマンチシズムとは縁遠い。いったいなぜなのだろう。時代が悪かったか、それとも私が悪いのか、Kが悪いのか、それとも日本人であることが悪いのか。

その後、Kから電話がかかって来て、Kの妻は金の牛をいたく喜んで、牛を置く棚をわざわざ作ったということであった。

「だからいったでしょ。奥さんは喜ぶって」

「うん、あんたのいうた通りやった……」

あれから更に二十年以上経つ。金の牛はどうなっただろう？　それを思うと哀しいような寂しいような辛《つら》いような……。

ではもしも今、Kが訪ねて来たら、私は優しくするだろうか？

いや、しないでしょうな。それだけは間違いない。

遠藤さん、ごめん

九月二十九日夜、私は前日から行っていた名古屋から帰り、夕食もそこそこに「秀吉《ひでよし》」を見ていた。竹中直人《たけなかなおと》という俳優を私は好きだが、彼の秀吉が何かというと大口あけて笑い、すぐに泣くのが私はいやである。喜怒哀楽の激しい男を創っているつもりかもしれないが、ありゃやり過ぎじゃないか？

「秀吉」を見ている間中、私は今にまた泣き出すんじゃないかという思いでいつも落ちつかずにいたが、回を重ねるうちにだんだんといつ泣くかがわかるようになってきた。今に泣くぞ、泣くぞ、泣くぞ、

「そら、泣いたァ」

射的屋《しゃてきや》で人形を倒したような気持になってきているのだ。

「秀吉、見てるんですか？」

「はい、見てます」

「いいですか、秀吉」

「よくないです」

「よくないけどやっぱり見る……ＮＨＫ大河ドラマが国民番組であるゆえんですな」

という人がいたが、国民番組だから見ているのではない。

「そら、泣いたァ……」

イーッポーン！　射的屋の気分がだんだん面白くなっているだけなのだ。

そんな次第でその夜も「秀吉」を見ていた。この頃は秀吉も関白になって、前のようにはハナミズ垂らして泣かなくなったけれども、しかし全く泣かなくなったわけではないから、私は見る。

と、電話がかかって来た。

「えー、Ｙ新聞社社会部ですが、さきほど遠藤周作さんが亡くなりまして」

「えッ」

と私はいったと思う。それから、

「そうですか……」

といった。「そうですか」といういい方はないだろうと思いつつ。

しかしそれ以外にどんな言葉も出てこない。新聞社の人はいった。

「それで佐藤さんにお言葉を頂戴したいんですが。遠藤さんの思い出など……」

「うーん」

と私は唸《うな》った。その時の私の気持は、

——遠藤さんが亡くなった、さあ思い出を、とはなんだ！　簡単にいってほしくない。

というようなものだった。ここで思いつくままにサラサラしゃべるなんて遠藤さんに対して失礼じゃないか。私の気持はとっさにサラサラしゃべれるようなものじゃないのだ。第一サラサラしゃべることの出来るようなそんな簡単な遠藤さんじゃない。何もいえない。いいたくない……。

そういうような気持をしどろもどろにいう。Y新聞の人は私のいうことを理解してくれて電話は終った。と、一分も経たずに又鳴った。

「えー、M新聞の学芸部ですが……」

Y新聞にいったのと同じことをいう。

「今、とても何かいえるような心の状態ではありません」

M新聞引き下る。と、又だ。「秀吉」がいつ終ったかもわからぬ。電話は十一時前までつづいた。中には、「遠藤さんとは幼馴染《おさななじ》みだそうですから是非とも佐藤さんのコメントをいただきたいのですが」という人がいて、私は仕方なく「幼馴染みなんかじゃありませんよ」と答えた。

「えッ、幼馴染みじゃないんですか？　でも」

「あれは遠藤さんのデタラメなんです」

「へーえ、デタラメですか」

「そうなんですよ。あの人は人を面白がらせるのが好きな人でねえ。ああいうデタラメを書くんですよ。あれはデタラメであることを私なりに書いているんですけど、遠藤さんの読者の数に対して、私の読者はビビたるものですからね。いくら書いても浸透しないんですよッ」

「すみません」

とその人は謝って電話を切った。

何回も何回も電話のベル。同じ質問。同じ答をするのに私は飽きてきた。何かいいたくなる。だがいおうとすると、私の頭に浮かぶ思い出はこういう場合にふさわしくないような思い出ばかりなのだ。

例えば……そうだ。新潟県十日町《とおかまち》市の講演旅行の帰り、汽車の中で遠藤さんは干貝柱を買ったが、居眠りをしている間に私は全部食べてしまった。やがて目を醒ま

した遠藤さんは空になった袋を見るなり、

「こらーッ、全部食うてしもたんかァ」

と怒ったこと。

「ええやないの。貝柱くらい」

「オレの貝柱だぞォ。オレが買《こ》うたんやぞ」

「なによ、ケチィ！」

その時私たちは四十七か、八か……。

こんな話を文化勲章受章者遠藤さんの思い出として語れるだろうか……。

またある日、徳島で講演した帰り、神戸へ寄ろうということになって、私と遠藤さんは淡路島の名前は忘れたが小さな港の埠頭《ふとう》で船を待っていた。晩秋の夕闇《ゆうやみ》が空から降りてきて沖は微《かす》かに明るいという頃合だった。乗船するのは私と遠藤さんしかいない。徳島からの見送りの人が二人、都合四人が薄暮の中に立っている。寂しいようなもの悲しいような秋の夕暮だった。

その時、ふと遠藤さんが私のそばへ寄って来てシーシー声でいった。

「おい、ケチくさいなあ、あの連中。土産、何もくれへんな」

遠藤さんが声をひそめる時はろくでもないことをいい出す時である。

「向うの土産物屋で何か買うフリしてみよ。そしたら気がつくかもしれん」

遠藤さんはいって、急に大声になり、

「サトくん、何か土産がないとムスメさんが待ってるやろ。オレのとこもムスコが待っとるし」

といって黄色い電灯が灯《とも》っている土産物屋に入って行った。私も「うん」といってついて行く。そこで私たちは「蛸《たこ》の姿干し」という物凄《ものすご》いとしかいいようのない形のものを買った。それしか買うものがなかったのだ。私たちの後からついて来た徳島からの見送りの人は、

「そんなものを買われたんですか。アハハ」

と笑っただけである。「支払いは私どもが」とはいわなかった。

「蛸の姿干し」のナンボでもない金を払ってもらいたいとは本気では思っていない。だが遠藤さんは、

「なにが『買われたんですか、アハハ』や」

とシーシー声で怒り、私も「ほんまにケチや！」と罵《ののし》ったのであった。遠藤さんは時々、十五、六の少年に戻る。遠藤さんがそうなると私も忽ち呼応して十五、六の少女に返る。それが私たちのつき合い方だった。

東京へ帰って二、三日すると遠藤さんから電話がかかってきた。

「おい、あの蛸、どうした?」

「ムスメが食べたわ」

「えーッ、食うたァー……」

遠藤さんは大仰《おおぎょう》にびっくりしてみせ、

「あの気味の悪い蛸を食うたんか。君のムスメは……。固いなんていうもんやない。歯が立たんかったやろ」

「うん、でも食べたよ」

「君んとこはムスメにふだん、なに食わしとるんや。うちのムスコなんか、なんやこんなもん! ポイ! や。庭に投げ捨てとった。犬かてクンクンかいで向うへ行ってしもたで……」


ああ、こんな思い出をどうして新聞に語れるだろう。だが、二十五年ほども前のあの秋の埠頭の夕闇と潮の香の中、少年と少女に戻っていたあの時間が私にはたまらない悲しさで蘇《よみがえ》ってくる。遠藤さんとのどんな思い出よりも強い、懐かしい思い出なのだ。

仕方なく私は新聞社の人にいいつづけた。

「今はとても遠藤さんについて話せるという心の状態ではありませんので」

「はあ……混乱しておられる、と……」

混乱というか、何というか。とにかく場所柄を考えるといくら私でも「いえないことばっかり」なのだ。

新聞社の人は、

「お気持、よくわかります」

といってくれたが、私のこの気持がわかるわけがないのである。今、遠藤さんとの思い出を話せば涙がどっと出てきそうだった。

「汽車の中で遠藤さんが眠ってる間に私が干貝柱を食べてしまったというので……あの人はえらい怒って……私はケチといい返し……」

そういいながら泣き崩れたら、新聞社の人はどうするだろう。

私と遠藤さんのつき合いは「少年少女に戻る」つき合いだった。愚にもつかないことをいい合っては喜んでいる間柄だった。通夜の教会で遠藤夫人から「佐藤さんには何でもいえるからいいとよく申しておりました」といわれた時、どっと涙が噴き出た。何でもいえるというのは少年少女に戻るということなのだ。

三、四年前から遠藤さんは電話をかけてくるたびに、

「君、死ぬのん怖いことないか？」

と訊《き》いた。

「怖いと思えば怖い、怖くないと思えば怖くない」

と私は答えた。

「死ぬ時、苦しいやろなあ……痛いやろなあ」

「そりゃあ命がなくなるんやから、苦しいやろし、痛いやろねえ」

「君はよう平気でそんなことというてるなあ」

「だってしようがないでしょう。その時になってみんとわからんこと、今から考えても」

「女は鈍感やなあ」

と遠藤さんは歎《なげ》くようにいった。

私たちが六十代に入った頃、遠藤さんは「オレは九十まで生きるんや」とよく自慢そうにいっていた。何とかいう偉い占師にいわれたといって、九十まで生きることを殆ど確信しているようだった。

「君は八十までは生きるやろ」

「八十？　そんなら私が先に死ぬのね」

「君、死後の世界がほんまにあるかどうか、死んだら幽霊になって教えに来てくれよ」

「うん、いいよ。出てあげるよ」

「けど出てくるんなら時と場所を考えて出てくれよ。へんな時に出てくるなよ」

と遠藤さんはいった。

七十近くなった時、「古稀《こき》の祝いを二人だけでやろう」と約束した。遠藤さんは大正十二年三月生れ、私は同じ年の十一月生れだ。

「その勘定は遠藤さんが払ってくれるんやね？」

「なにいうてる。ワリカン、ワリカン」

「なによ、ケチィ。男のくせに。あんたの方がお兄さんやないの」

といい合っていた。

だがそのうち電話が間遠になって、遠藤さんは入退院をくり返すようになった。どこがどう悪いのか私にはわからなかった。前のように気易く電話をかけるのが憚《はばか》られた。夫人が電話口に出てこられて鄭重《ていちょう》に応対されると、根ホリ葉ホリ病状を訊くことが出来なかった。

私が遠藤さんと親しいことを知っている人たちから、「遠藤さん、どうですか?」とよく訊かれたが、私は、

「さあ……」

としかいえなかった。遠藤さんの容態はあちこち、次々と悪いところが出てきて、簡単にいえるようなものではないのだろうと私は推察した。

あれは今年の三月だったか四月だったか、ふと思いついて私は電話をかけた。遠藤さんと話が出来るとは思っていなかった。自宅と病院のどちらにいるかもわからなかった。電話口の人に病状を訊いて見舞いだけいうつもりだった。

電話口に秘書の塩津さんらしい声が出てきてちょっとお待ち下さいといい、暫く間があった。夫人を探しているのだろう、忙しいのに申しわけのないことをしたと思っていると、突然、

「もしもし」

遠藤さんの声だった。あまりに低い力のない声だったので私はびっくりして、

「あっ、遠藤さん!」

と叫び、うろたえて更に大声になり、

「元気ィ？」

喚《わめ》くようにいっていた。まさか遠藤さんが出てくるとは思わなかったのだ。だが、重症の病人をつかまえて「元気ィ？」はないだろう。そう思った途端に逆上した。何をどういえばいいのかわからない。初舞台のヘッポコ女優が立往生したようだった。遠藤さんは、

「うん」

といった。地の底から滲《にじ》み出てくるような声だった。

「君は……元気そうやな」

といった。忽ち私の顔は歪《ゆが》み、自分でも思いがけない泣き声が、

「あーよかった……声が聞けて……」

というなり、私はわーッと声を上げて泣いていた。子供のように。小さな女の子のように。遠藤さんは何もいわない。

「おい、人が死にかけとるのに、元気ィはないやろ」

といってほしかった。だが電話の向うはシーンとしている。私の頭の中はムチャクチャになり、喚くような大声で何やらいっていた。

「元気出してよ。早う元気になってよ……頼むよう……」

夢中でとぎれとぎれにしゃべって、オイオイ泣きつづけた。遠藤さんは黙って泣き声を聞いているようだった。遠藤さんが何といったか、何といって電話を切ったか。気がつくと受話器を下ろした電話の前に私は呆然《ぼうぜん》と立って、しゃくり上げながらそこにあった台布巾《だいぶきん》で涙を拭《ふ》いていた。

それが遠藤さんの声を聞いた最後だ。もう一度電話をかけて「さっきはごめん」という気力はなかった。

──佐藤愛子はな、人が苦しんどる時に暢気《のんき》な大声で電話かけてきよって『元気ィ？』ちゅうんや。ほんまにおかしな女やで。

と遠藤さんが吹聴《ふいちょう》する日がきてほしかった。

何日も私はクヨクヨしていた。たまらず人に話すと、その人は、

「遠藤さんはわかってますよ。佐藤さんらしいと思ってますよ、大丈夫です」

と慰めてくれた。そうかもしれないと思う。そんなふうに私をわかってくれる人はもう一人もいない。そう思うと、背筋がゾーッと冷たくなる。

通夜の夜、遠藤さんの柩《ひつぎ》に向って私は、

「遠藤さん、ごめん」

としかいえなかった。

泣かせババア

机に向っていると孫が書斎に入って来て、

「おばあちゃん、今、ハルでしょ」

という。

「今は冬――」

原稿を書いている最中なので、出来るだけ短くいう。

「冬じゃないでしょ。ハルでしょ」

「春は三月から」

「ちがうよ、今がハルよ」

「今は冬――」

「ちがいます。ハルですゥ……」

テレビなどで、初春、新春をハルといっているのを聞いたのだろう、と思いつつ

面倒くさいので、

「一月は冬」

とくり返す。春は三月からである。だが、ではなぜ一月をハルというのか、五歳の子供が納得するように説明するのはむつかしい。何といえばいいのかと考えていると、孫はもう次のことに頭がいっていて、

「今はウシ年？」

という。

「そうよ、ウシ」

「じゃ二月は？」

「二月もウシ」

「三月は？」

「三月もウシ」

「四月は？」

「四月もウシ。五月六月七月八月九月十月十一月十二月までウシ」

「十三月は？」

「十三月はないの。十二月の次はまた一月なの」

「どうして?」

「どうしてといわれてもそういうことになっているんだから」

「どうしてそういうことになったの?」

「だ・か・ら、とにかく、そういうことになったんだよッ」

「とにかく、ってなに?」

「とにかくというのは、とにもかくにも……何にせよとか……ともかくとか……」

と支離滅裂になる。

「小さいお子さまの好奇心というものはほんとうに素晴しいですわ。おとなが気がつかずに通り過ぎていることに、パーッと光を当ててくれます。いきなり、ソレってなあに、コレってどうして、といわれてハッとします。こんな瑞々《みずみず》しい新鮮な疑問をぶつけられると心が洗われる思いがします……」
二、三日前ホテルのティールームで人と待ち合せていたら、近くのテーブルでそんな声が聞えてきた。
「そういう時こそおじいちゃま、おばあちゃまの出番です。忙しいお母さんやお父さんに代って、じっくりと子供さんの疑問に答えてあげていただきたいの。そうすればおじいちゃま、おばあちゃまの方もリフレッシュされて、一挙両得です……」

どうやら幼児教育のセンセイのインタビューらしかった。私はそれを思い出し、孫の質問にリフレッシュなんかされるものか、疲労困憊《こんぱい》するばっかりだ、と思う。

ところで我が孫はこの頃、「ぷよぷよ」というテレビゲームに熱中している。だが私にはこのテレビゲームというものがさっぱり理解出来ない。五歳やそこいらでこんなものをスラスラやるなんて、それでも人間の子か！　と怒りたいのである。

私が五歳の頃は四つ上の姉の後ろからついてまわり、椿の花を拾って糸でつないで、首にかけて喜んでいるような無邪気で愛らしい子供だった。石ケリ、縄トビ、毬《まり》ツキ、何をやってもうまく出来ない。姉は運動神経抜群の子供で、近所の子供の大将格だったから、私は心から姉を尊敬していたのである。姉は私を連れて歩くと足手マトイなので、「アイちゃんも遊んでおやり」という母の声に「うん、おいで！」とはいうが、あっという間にいなくなっている。仕方なく私は縁側で「幼女の友」を読んだ。

「幼女の友」は毎月本屋から届くから、縁側のつき当りに何十冊も積み上げられている。新しい号がくると、まず最初の号から順々に読み出して、最後に新しい号を楽しみに開くという読み方をしていたのである。毎月そうしているので、古い号の中身はすっかり憶《おぼ》えてしまい、父をして、

「なんて賢い子だろう！　こんな賢い子はどこにもいないよ！」

　と叫ばしめたものである。そのように私は姉を尊敬し、かつ無邪気で愛らしく、賢い子供だったのである。（それを証明する人間がもう一人もいなくなったのはまことに残念だ）

　我が孫はどうか。

「ぷよぷよ」なるテレビゲームを父親と二人で競い、負けたといって父親に殴りかかり、

「何をするんだ！」

　と父親は怒って喧嘩《けんか》になったりしている。

　ぷよぷよとはいったい何なのだ？　私は娘に訊いた。娘は説明をするが、何度いっても私はわからない。絵を描いて教えるが、それでもわからない。娘は「ぷよぷよ通」解説書というものを持って来た。読んだがそれでもわからぬ。なんでも「おじゃまぷよ」という奴がやって来ては邪魔をするのを退治するゲームらしい。

　そんな説明を聞いているところへ、孫がノコノコやって来た。「ぷよぷよ」という声が聞えたのでハリキってやって来たものらしい。娘を押しのけてしゃべり始めた。何をいっているのかさっぱりわからない。いい加減に聞いているとだんだん声

が大きくなり、顔を真赤にしてしゃべりつつ詰め寄ってくる。

「おばあちゃん、わかった?」というから、わかったわかった、と答えると、「では次を教えます」という。もうわかったからいいといっているのに耳もかさず、

「ではキャラクターを教えますから、そこへ書いて下さい」

ミノタウロス、ドラゴン、サタンさま、ゾンビ、ミニゾンビ……といい始めた。

仕方なく書き損じの原稿の裏に書く。

「スケトウダラ、スキュラ、おおかみおとこ……」

私は呆《あき》れる。「幼女の友」で私が憶えた文章は、

「ボクのオトウトタローちゃん

ヒコーキ ブンブンとんでくりゃ

まわらぬ口でチコウキと……」

といったようなものである。(今でも憶えているのだから、何十回、何百回読んだことかおわかりであろう)だが、我が孫は「サムライモール、さそりまん、ウロコサカナビト……」だ。なんて賢い子だろう、なんて暢気に感心していられない。

「わかった、もういい」

といっても、

「いけません、ちゃんとおしまいまでやらないといけない」

ふだん自分がおふくろにいわれていることをいう。そこへ神の助けか長電話の友達から電話がかかってきて、「あとは明日」といってやっと追い払った。

翌朝、「おばあちゃん、おはよう！」とやって来た。ニコニコしている。

「さあ、つづきをしましょう」

「つづきって？　何のつづき？」

と、とぼける。

「約束したじゃないか。『ぷよぷよ』のキャラクターよ」

「キャラクターはもういいよ。いっぺんにいわれてもおばあちゃんには憶えきれないから」

孫は暫く考えて、「じゃあジャンケンをして、おばあちゃんが勝ったらやらない、負けたらやることにしよう」という。ホンマにしつこい奴だ。仕方なく、

「ジャンケンポン、アイコでしょ！」

孫はパー、私はグー。

「ねえ、三回勝負にしようよ」と私。

「いいよ」と孫はあっさり承知し、ジャンケンポン。

二回ともパーとグーで私の負けだ。どうやらテキはパーばかり出す癖があるらしい。

「五回勝負にしようよ」

「いいよ」

孫もジャンケンが面白くなってきたらしい。推察通りテキはパーを出しつづけ、私は三回つづけて勝つ。どんなもんだい！　やっぱり子供は単純だ。

「次はもう一回で最後にしようよ。それでキマリ」

「うん、いいよ」

ジャンケンポン！　わーっ、と私はひっくり返った。孫の奴め、考えたとみえて、今度はグーを出しおったのだ。

「さあ、お勉強よ。書いて下さい……いい？　フタゴのケットシー……」

と始まった。

私は考え、炬燵で蜜柑《みかん》を食べながら本を読むことを提案する。孫は炬燵が大好きだ。

「えーと、何のお話がいいかなあ」と本箱を眺めているうちに、いつか娘がいっていたことを思い出した。

「モモ子にアンデルセンの『錫《すず》の兵隊』を読んでやっていたら、シクシク泣き出したの。それでもかまわず読んでたら、ワアワア泣いて、しまいに歯ギシリまでして泣いたのよ……」

そうだ「錫の兵隊」を読んでみてやろう。これは面白いぞ、とアンデルセンを持って来て炬燵に入った。テキは何も知らず、蜜柑を剝《む》いている。

「男の子は二十五人の錫の兵隊を持っていました。でもその中に一人、錫がほんの少し足りなくて、足が一本だけになってしまった兵隊がいました……」

孫は真面目に聞いている。錫の兵隊は棚の上の紙のバレリーナの人形に憧《あこが》れの気持を持っている。ある日、風で窓が開いて一本足の兵隊は窓の外の草の中に落ち、近所の子供に見つけられて川に流される。だが彼を吞《の》み込んだ魚が漁師に釣られ、魚はもといた家の人に買われて料理される。と、腹の中から兵隊が出て来る。兵隊は元の棚に戻され紙のバレリーナと向き合って自分の幸運を喜ぶ。だがその時遊びに来ていた小さな子供が、兵隊を暖炉の中に投げ込んだ。

「兵隊は真赤な火の中で一本足でしっかり立っていました。そしてやっと会うことが出来たバレリーナにいいました。『さようなら、今度はほんとうに、お別れです』」

真剣そのものの孫の顔は少しずつベソをかき始めた。

「するといきなり強い風が窓から吹き込み、ドアが勢いよくバタンと閉まりました。そのとたん、飾り棚の上のバレリーナが風に舞い上りヒラヒラと暖炉の火の中へ落ちて来ました。バレリーナはまるで兵隊の前で踊るように、クルクルまわりながら燃えつきました……」

孫の大きな目の中いっぱいにふくれ上った涙が、怺《こら》え切れずにハラリとこぼれると、喰《く》い縛った歯の間から「クウー」と声が洩《も》れた。

「兵隊は熱い火に溶けながら、声もなくただ見守るように立っていました」

エーン、エーンと孫は正式に泣き出した。かまわず私は読む。

「次の日、女中さんが暖炉の灰を掃除すると、錫のかたまりが出て来ました。そのかたまりは愛する心のかたち、ハートのかたちをしていました」

ワーン、ワーン、ヒック、ワーン……。

――やっぱり泣いた……。娘のいった通りだ。私は心の中でク、ク、クと忍び笑いをしながら、

「なにも泣かなくてもいいじゃないか。兵隊さんはハートの形になったんだからス

テキでしょ」

　という。泣き声を聞いて娘がやって来た。

「どうしたのよ?」

　カクカクシカジカと説明する。

「なんだ、泣くと知ってて、わざと読んだの、ママは……」

「うん、また泣くかどうかと思ってね。やっぱり泣いたわ」

「困ったばあさんだなあ……」

　といって娘も笑っている。(これが佐藤一族の悪い伝統)笑い声が聞えたか、孫の泣き声はやんだ。そして、

「じゃあ、やろうか?」

　という。

「何を?」

「ぷよぷよのキャラクター」

　と孫は気を取り直したのだった。

理想の孫ムコ

孫のモモ子はシンちゃんと「ケッコン」したという。シンちゃんは幼稚園のさくら組、モモ子と同級生の男の子である。幼稚園の前にあるコドモ公園でシンちゃんがモモ子に、

「モモちゃん、ケッコンしようか」

といったのでモモ子は、

「うん」

といった。それで二人は手をつないで公園を出て来た。手をつないで歩くとケッコンしたことになるのである。

去年の春、幼稚園の運動会を見に行ったら、男の子はどの子も短い半ズボンをキリッと穿《は》いている中に、一人だけダブダブで、膝《ひざ》の下まで下っていて、しかもなぜか右左の長さが違うという男の子が目についた。その上ハイソックスがグズグズで片方が上っていて片方は下っている。シャツはズボンの上にダラーンと垂れていて、

運動靴の後ろをペチャンコに踏んづけている。

ひと目で私はその子が気に入った。運動会の間じゅう、孫の方は見ないで微笑《ほほえ》ましくその子ばかり見ていた。遊戯の時も歩く時も何だか投げやりで、一所懸命にやっていない。それがシンちゃんである。

シンちゃんは私の理想の男の子なのである。昔懐かしい子供だ。コドモコドモしたマコトの子供だ。私は娘にそういった。娘はなるほどね、ママの気に入りそうな子だわ、といって、以来シンちゃんの動静を報告してくれる。

「シンちゃんは今朝、幼稚園の入口でお母さんにほっぺた叩かれてたわ。何をしたんだか知らないけど、いきなりパンパンって音がしたから見たら、シンちゃんがビンタくらってたのよ」

「シンちゃんはどうした？」

「泣かないのよ。平気で面倒くさそうに『ゴメン！』っていってるの。多分、馴れてるんだわ」

ますます気に入った。シンちゃんのお母さんも気に入った。母親たるもの、子たるもの、こうでなければいけない。こうして幼時より鍛えに鍛えられてこそものに動じぬ強い人間が出来るのだ。それを何だ、今の母親は――と始めると、娘は、

「何かというと子供の気持をわかってやらなければということばかり考えて、ヤワな人間を作っている……んでしょ」

と私のいいたいことを先取りする。それだけわかっているのなら、明日のモモ子の弁当のデザートは何にしよう、などと思案するのはやめろといいたい。

「デザートだと？　フン」といいたい。

なにがデザートだ。わたしの子供の頃の弁当なんていうものは、

「ネコメシ、ノリのダンダン、それだけ。それに日の丸べんとう……おかずなしの梅干ひとつだけ……だったんでしょ」

とまたしても娘は先取りする。

「それでもこうして元気イッパイ、七十四歳を迎えようとしてるんでしょ」

それはさておき、この間、テレビで女のストーカーの連続ドラマを放映していた。最初に見たのは何回目だったのか知らないが、とある会社の妻子ある課長が同じ会社の女の子に惚《ほ》れられ、酒に酔わされ据え膳《ぜん》を据えられてコトに及んでしまったというのが発端である。その女が妄想狂のようになって課長につきまとう。出だしの方を見ただけでその後の経過はわからないが、ある夜チャンネルを廻《まわ》す

と見憶《みおぼ》えのある女ストーカーの顔が出て来たので、ああまだやってたのか、その後はどんな具合か、と見た。その女ストーカーになる女優さんは微笑すると唇の両脇に微かな皺《しわ》が現れるタチの顔で、その皺が何とも淫靡《いんび》で邪悪な気配を漂わせる。プロデューサーはこの皺に目をつけて彼女を主役に選んだのかもしれないなどと思いつつ見ているうちに、だんだん腹が立ってきた。

女ストーカーに腹が立ったのではない。彼女に一方的にやられて手も足も出ない課長に対して、である。彼は会社ではまことに有能で、上司の信頼も頗《すこぶ》る厚いエリート社員だ。新築らしい瀟洒《しょうしゃ》な一戸建に二人の男女の幼な子と美人の妻とで優雅に暮し、高価そうな大きな犬も飼っている。

ところがこの課長、会社では有能らしいが、何とも意気地がない男なのである。酔った揚句のイッパツがもとで女ストーカーにつきまとわれ、結婚を迫られるがただ困り果てるばかりで何の方策もない。

それを見ている時、丁度来合わせた人が、

「おや、佐藤さんはこういうドラマがお好きなんですか」

といったが、べつに好きで見ているのではなかった。この意気地なし男がいったいどこまで意気地がないか、見届けてやりたいという気持になっていたのだ。

といっても毎回、欠かさず見ていたわけではない。テレビチャンネルを廻している時、あの唇脇に皺を寄せた薄笑いの女の顔がふと出てきて、ああ、まだやってたのか、どれどれ、その後はどうなった？　という感じで見たり、また見なかったりというあんばいだった。

ある日見たら、女ストーカーが出刃庖丁《ぼうちょう》を持って課長の家に侵入しているではないか。どうやら彼女は想像妊娠で、妊娠を口実に結婚を迫っているらしい。そして課長に妻子がいるために結婚出来ないと思いこんで、妻子に殺意を抱いたのだ。

課長の家のテラスのガラス戸が割られ、犬小屋も犬も真赤なペンキを撒《ま》かれて、一見血塗られたようになっていたりする。この犬がまた図体ばかり大きくて、何の役にも立たないボンクラ犬なのだ。主家の危急もどこ吹く風、赤ペンキにまみれてノターッとしている。

女は手当り次第に家具や飾り物などを打ち壊しながら出刃庖丁を持って妻子のいる二階へと上って行く。普通なら見物はここで、ハラハラドキドキして拳《こぶし》を握って女ストーカーを憎み、妻子の無事を祈るという気持になるのだろうが、私の心臓はハラハラするよりも憤怒《ふんぬ》のために高鳴ったのである。

といっても女ストーカーへの憤怒ではない。エリート課長への怒りだ。とにかく彼は弱い。それにヘマばかりしている。大きな物音がして居間のガラス戸が割られる。彼はその場に駆けつけるが、機敏に動かずボーッと眺めているばかりなのだ。その背後の階段を庖丁握った女がやすやすと上って行くのにも気がつかない。妻の悲鳴でやっと駆けつけ、女と揉《も》み合うが、女の方が強い。あっけなくやられ、血を流しながら、

「逃げろ！　逃げろ！」

と叫ぶ。逃げろといっても二人の幼な子を抱えて部屋の隅に追い詰められている妻は、どこからどうやって逃げればいいのか。簡単にいうな、と私が妻なら怒鳴り返すところだ。だが、この妻はただただ怯《おび》えて、

「やめて！　やめて！」

と叫ぶばかりである。やめてといえば、やめてくれる相手なら問題はない。やめない相手であることがわかっているのに「やめて」としかいえないこの美人妻に私は切歯扼腕《せっしやくわん》する。

かつての大衆映画はこうでなかった。男は女に向って、

「逃げろ！」

と叫びはするがその後が違う。「逃げろ」の一言には力が籠《こも》っていて（ああ、懐

かしの三船敏郎《みふねとしろう》!)、いきなり悪者はやられてノビている。あるいは一目散に逃げる。そこで見物はホッとし溜飲《りゅういん》を下げたのだ。

今は「逃げろ」と叫んでやられてる。

けどこれはリアリズムなのよ、と娘はいった。リアリズム? なるほど。今の男は有能な会社人間ではあるが、男としての力はゼロというわけか。

つまりそういう男を作ることを日本の教育は目ざしてきた。そういえば迫る女ストーカーに怯えた妻が警察を呼ぼうというと、このエリート課長はこういう。

「悪いのはボクだ。ボクさえあんなアヤマチをしなければこんなことにはならなかった」

だから警察は呼ばないというのだ。反省してる場合か、といいたい。戦後のやさしさ教育、仲よしごっこがかかるフヌケを作った。愛する家族、弱い幼な子を守る力がないのなら警察に頼るしかない。だが、彼はそれすらもしない。自分で自分を論評して、なすすべなくやられてる。

そのうちどこからどう外に出たのか、「やめて」の美人妻と二人の子供は草原を必死で走っている。今に誰かが転ぶぞ、と思って見ていると、案の定、子供が転ぶ

（「パターン、パターン」と私は叫ぶ）。それに追い迫る庖丁女。

「亭主はどうしたんだ！　フヌケ亭主は！」

と私は叫ぶ。折しもどこをやられたのか、足を引きずり引きずり、漸《ようや》く夫が現れる。

と、その時、泣き声が聞えた。テレビの中からではない。モモ子が泣いているのだ。

「こわいよォ！　やめてェ」

と泣いている。

「こわい？　何がこわい！」

私は上の空。こんなものをこわがってどうするか。

「やめてェ、ほかへ廻してェ」

「なにいってるの、面白いじゃないの」

と娘。孫は泣く。私は怒る。

「うるさいな。静かにしなさい。これもベンキョウです！」

このアカンタレ夫婦、どこまでアカンタレか見届けてやらねば、という気持だった。

ところでモモ子とシンちゃんのケッコンについて、私は「シンちゃんならよろしい」と祝福した。シンちゃんはエリートにならないかもしれないが、敵と闘って家族を守る男になるだろう。（当今の世相を見ると金の亡者はみなエリートだ。エリートは妻子に恥辱を与え、且《かつ》国を穢《けが》している）

でもシンちゃんは時々、ハナをたらしているよ、と娘はいう。私は、

「ハナタレ、結構」

と頷《うなず》いた。昔は子供とハナタレはつきものだった。ハナタレ小僧は強かった。ハナタレ小僧がいなくなったことと、日本の男が弱くなったこととはあるいは関連があるのではないか？　昔の子供にアトピー性皮膚炎などというアレルギー性の病気はなかった。それはハナをたれてアレルギーのモトを排出していたからだという説がある。私はそれに賛成だ。

「シンちゃんが泣くとすごいのよ。地団太《じだんだ》踏んで、地面に大の字になるんだから」

「よろしい。エネルギーが横溢《おういつ》している証拠だ」

モモ子ばかりでなく、私は日本の前途をシンちゃんに托《たく》したい。

「この間、モモ子がマサユキくんから、とっても大きなドングリを貰《もら》ったのよ。そ

れが嬉しくてモモ子はそれをシンちゃんに見せたの。そしたらシンちゃんは」

「もーらい！」

といってドングリを取って逃げたので、モモ子は泣きながら追いかけた。シンちゃんのお母さんがそれを見て、

「シンちゃん、返しなさい」

といった。シンちゃんは、

「アイ」

といって返したという。

「よろしい、ワンパクでも素直なところがよろしい」

と私はどこまでもシンちゃんの味方なのである。

そんなある日、モモ子が泣きながら外から帰って来た。娘とモモ子が買物に出かけたところ、道端でシンちゃんが遊んでいるのと出会った。シンちゃんはモモ子を見つけ、

「やあ、モモちゃん」

といって近づいて来たと思ったら、いきなりモモ子にボクシングの真似《まね》をしてポカポカと殴りかかったので、モモ子はびっくりして泣いた。私は泣きじゃくってい

るモモ子にいった。

「シンちゃんはね、モモ子が可愛いからそんなことしたのよ……」

多分それはシンちゃんの愛情表現なのだ。泣くことはない、そういって慰めているとそばから娘がいった。

「それでモモ子はシンちゃんのおなかにパンチを入れたのよ」

「えッ、やり返した?」

「そうよ。泣きながら殴り合いになったのよ」

うーん結構。頼もしい。ばあさんは安心した。この後は日本のやさしさ教育、仲よしごっこ教育が、この頼もしい幼な子をフヌケに作らぬよう祈るばかりである。

第六章　老残のたしなみ

集英社刊
平成十二（二〇〇〇）年
著者七十七歳

◆キーワードで見る当時の世相◆

平成９年　「酒鬼薔薇聖斗」事件

神戸市須磨区の中学校の門前で、11歳の少年の切断頭部が見つかる。いわゆる「酒鬼薔薇聖斗」事件。１ヵ月後、14歳の少年が逮捕される。その後、少年による殺人事件が多発するようになった。

平成10年　「毒入りカレー」事件

証券、銀行、金融関係の企業の破綻が続く。

和歌山県で夏祭りに起きた毒（ヒ素）入りカレー事件で４人が死亡。

平成11年　日本初の脳死臓器移植

「臓器移植法」施行後初の脳死臓器移植が行われた。

平成12年　インターネット爆発的普及

セクハラ事件で横山ノック大阪府知事辞任。その後に太田房江氏が当選。全国で初の女性知事誕生。

インターネットの爆発的普及とともに、携帯電話が生活とビジネスを変える。中高生の援助交際という名の売春に結びつく例も各地で相次いだ。利用者の半数以上はケータイ文化を担う20〜30歳代。インターネットで知り合い、結婚する例も。

我々が「考える葦《あし》」でなくなったこと

何年くらい前になろうか、生甲斐《いきがい》ということが盛んに論じられていたのは。主婦の生甲斐、老後の生甲斐、サラリーマンの生甲斐など、エッセイや講演のテーマとしてよく与えられたものである。

なぜそんなに生甲斐について考えたいのか、私のように国の難儀と私個人の難儀とが次々にふりかかる中を、やみくもに生きなければならなかった者は生甲斐など考える暇がなかったから、そのような質問を受けると答に窮したものである。

だがこの頃、ふと気がつくと生甲斐論は影を潜めている。あの頃はバブル景気で人々はみな豊かだったから、生甲斐について考えるゆとりがあった（つまり「暇つぶし」）ということだろうか？　今はバブルのツケが廻ってきて、あっちの証券会社が潰《つぶ》れた、こっちの銀行が危い、という時代になったから、「生甲斐？　それどころか！」という気持になってきているということなのだろうか？　それともバブル経済に浮かれている間に目先の楽しさと人生の安泰に馴《な》れてしまい、後のことは何も考えない癖がついてしまった、ということなのだろうか？　だが生甲斐論などというやくたいもない口舌《こうぜつ》の具をいじくり廻す風潮が消えたのは可《よし》とすべきであろうと私は思う。

かつて日本が貧しかった時代、日本人は――殊に青年は人生について社会について自分自身について本気で考えたものだった。なぜ働きたいのに仕事がないのか、なぜ働けど働けど貧しいのか、なぜ権力はこのように強大なのか、なぜ自分の命を戦場へ捨てに行くのか……。どれも素朴な、しかし切実な疑問だった。若者は社会の矛盾に気づき、闘うか妥協するか、全体のために生きるか、個人の幸福を優先させるかを迷い、考え、憤った。己れの無力卑小を歎《なげ》き、思うに任せぬ現実に切歯扼《せっしや》腕《わん》して苦しみ、そして考えた。

だが経済大国になった日本の社会は、自由と豊かさによって「考えない日本人」を作り出した。いかに生きるかについて考えなくても、「フツー」にしていれば生きていけるのである。青年が考えるとしたら大学受験と就職を考えればよいのである。壮年が考えることはいかに社会の流れと妥協して得をするかということであり、老人はいかに老後を楽しみ、いかに安楽にうまく死ぬかということを考える。

男子大学生に向って「万一、日本が軍事攻撃を受けた場合、どうするか」というアンケートを取ったところ、「戦う」にマルをつけたのは百人中ただ一人で、あとの九十九人は「安全な場所を捜して逃げる」にマルをつけたという。その話をした人は、若者から勇気や愛国心が欠如したことを歎きたいようだったが、私は彼らはただ「何も考えない」だけなのだろうと思う。多分彼らは反射的に答を出しただけなのだ。彼らは考えない。すべてアドリブでことをすませてしまう。考えるのは面倒だから考えないというよりは、考える習慣がなくなっているのにちがいない。

「人間は一茎の葦《あし》のように弱いものだが、しかし人間は考えることを知っている」とパスカルはいった。「我々の品位は思考の中にのみ存在する。正しく考えるようにつとめよう」と。

だが今は、人は考える葦ではなくなった。我々は宇宙に乗り出し、怖《おそ》れを知らずにそれを利用しつつある。科学の力で命を産み出し、死さえ遠ざけることが出来ると思っている。「正しく考える」ことを捨てたのだ。

私は貧乏な若者が好きである。若者の燃え熾《さか》るエネルギーと貧乏が、固く握ったゲンコツのようにがっちりと組み合さって不如意と闘う姿が好きである。

「本郷西片町より高台の方を仰ぎ見れば、並びなせる下宿屋の楼上楼下、無数の窓我に向いてもの言うが如く灯明らかにともされたり、此の多くの窓の中の何《いず》れかの窓より未来の偉人傑士出る事ならんと思えば一層《ひとしお》に懐かしき心地す、と同時に此の窓の中に有為の材を以て空しく一生朽ち果つべき運命を有するものもあらんかと思えば胸潰るる許《ばか》りなり」

右は私の父の明治三十八年春の日記の一節である。並んでいる下宿屋の無数の窓に明々とともされた灯の下、貧しい学生たちが一心に書物を読んでいる姿を想像して胸を打たれた父の、その青年への想いが私の胸にも熱く伝わってくる。日本が貧しく矛盾に満ちていた時代、刻苦勉励という言葉が生きていた時代だ。

貧しさ故に若者は考えた。鬱屈《うっくつ》して考えるが故に広大な未来があった。可能性に満ちた洋々たる前途、夢があった。それが若者の貧しい青春に輝きを与えていた。

今、豊かさのみを追って考えることをやめた我々にどんな未来があるのだろう。若者たちを含めた我々は何に向って生きようとしているのか、更なる豊かさと安住に向って？

だがいったいそこにある希望とはどんなものなのだろう？

目下の日本経済の破綻《はたん》はやがて恐慌を呼ぶかもしれない。私は今、いっそそうなった方がいいとすら考えている。困窮が我々に「正しく考える」ことを思い出させてくれるならば、私自身の老後の暮しへの不安など、この際、目をつむって耐えようという気持になっている。

いいたくないがいわねばならぬ

神戸児童連続殺傷事件が起るや、忽《たちま》ち日本のマスメディアは狂躁状態に陥って、分析やら解釈やら推察やらが日本中を飛び跳ねている。

そんな中で佐藤さん、何か一言、といわれたが、あまりの目まぐるしさに私には言葉がない。おしゃべりの私には珍しく、ただただ呆気《あっけ》にとられていた。呆気にとられている私の目の前を、あの中学校の校長先生を批判する声や、生活指導の教師が暴力を振ったか振わなかったかを追及する声、更に家庭の内情へと踏み分けようとする姿勢、そうかと思えば写真週刊誌が容疑者の少年の写真を掲載したことへの弾劾などが渦を巻き、写真を見ただけでもその魂の清らかさがわかる淳少年の死を悼む心など、どこかへ押しやられてしまっている。

いったい、何に意味を感じてこの人たちはこんなに夢中になって、思いつきの言葉をあやつっているのだろうか。テレビを見るたびに私はしらけた気持でそう思わずにはいられなかった。

分析批評なんてものは穴を掘るようなもので、掘っても掘っても何も出てきはしないのだ。しかし人々（マスコミに招集された）は掘る。みんなで力を合せて掘ることによって鉱脈に届こうという情熱があるわけではなさそうだ。ただそれぞれが自分の掘り方を見せているだけのように私には思える。

テレビニュースにあの中学校の校長先生の会見の様子が映し出されるのを見た時、私はとても気の毒で見ていられなかった。今に批判の大合唱が始まるだろうという想像が、私の中に頭を擡《もた》げかけた「なんだ、これは」という思いを圧《お》し潰してしまったのである。

あの校長先生を批判するのは簡単だ。しかしあの校長先生は今の日本の教育界の象徴といってもいい人なのだ。私はそう思う。あれがあの校長の限界であり、日本の教育界の限界なのではないか。あれ以上の校長らしさを望むのは無理というものだ。あの場合、校長はああ答えるほかにいうべき言葉が出てこなかった――。ということは平素から教育について「考えていない」、「考える習慣がない」ということなのであろう。

突然、向うから剣が飛んでくる。それに対して腰の刀を抜く手も見せず、丁と斬《き》り結ぶのは平素の修練の力である。修練のない者は突き刺されるか、逃げまどうしかない。今の教師の殆《ほとん》どは「その日その日の忙しさ」を口実に、教育者として教育を考えることを怠っている。あるいは考えたところでしようがないと諦《あきら》めている。どうすれば生徒に好かれるか、ＰＴＡから文句をいわれずにすむかなど、枝葉末節に捉《とら》われて本道を歩けない。

人間対人間として情熱をもって生徒と対していると、思わず手を上げてしまうこともあるだろう。それは相手に対する情熱である。だがたとえ情熱から出たことであっても（そうでない場合も）「暴力を振った」ということに括《くく》られて教師は批判を受ける。批判を怖がっている限り教育など出来っこないのだ。だが批判に反発しようと思えば膨大なエネルギーが要る。事なかれ主義が一番いいと思うようになり、教育への情熱を失う。

生徒にもいろいろあるように教師にもいろいろある。私の娘は高校生の時、朝礼

で整列する時に機敏に動かず、前の人との間が開いた。すると壇上の体育教師は全校生徒の前で、

「そこのメス！」

と大声で罵《ののし》った。その品格のない侮辱を三十七歳になった今も娘は忘れないという。

教師にとって必要なことは人間としての「品格」であろう。叱《しか》ることや殴ることの正否は教師の品格のあるなしで決る。生徒はバカではない。品格をもって殴るか、下品に殴るかで、受け止める生徒の気持は違うのだ。

話は脇道に逸《そ》れたが、私はここで教師論、学校論を開陳するつもりではなかった。現今の校長は管理職としての仕事に忙しく、それを無難にこなすために、教育についてじっくり考えてなんかいられないのだ。教育の本質について本気で考えれば、多分学校長など務まらないのではないか。管理職を無難にこなすことを目的に生きている人に、あの修羅場に立ち向う力が養われるわけがないのだ。そうしてそれは校長一人の責任でなく、文部省、教育委員会、そうしてやたらに文句の多いＰＴＡもひっくるめての問題だということを私はいいたい。

文部省はこの事件の後すぐ、「学校にカウンセリングを導入することを考えている」と発表した。私はテレビニュースでそれを見て、又しても呆気にとられた。

カウンセリング、カウンセリングと最近、大はやりのようだが、いったいカウンセリングとはどういうことをするのか。カウンセラーなる人はどういう資格、経歴を持っているのか（資格、経歴などたいして役に立たないことは想像に難くないが）。カウンセラーがいったいどれだけ思春期のむつかしい心を動かすことが出来るのだろうか。本当に役に立つどれだけの人物を揃《そろ》えることが出来るのだろう？

つい昨年一九九六年のことだ。東大卒の団体職員だという父親が息子の暴力に悩んでカウンセラーに相談した。カウンセラーは「何をされても手向ってはいけない」と教え、それで父親は土下座をしろといわれたら土下座をし、息子の殴る蹴るにじっと耐えたところ、いいなりになる父親に息子の暴力はエスカレートして、父はついに息子を殺すに到ったという事件があった。

だいたいつき合ったこともない息子のことを、カウンセラーにわかれという方が無理なのである。人の心などそう簡単にわかるものではないのだ。深い洞察力は人間関係の雑多な経験によって養われるもので、心理学の本を何冊読んでもわかりはしない。当り前のことだが人間は一人ひとりみな違う。ある少年の場合はいいなりになって心を鎮めることが出来るかもしれないが、別の少年はいいなりになられることで却《かえ》ってイライラが募り、これでもか、これでもかと殆ど自虐的に親を苦しめずにはいられなくなるという場合もあるだろう。

人は正確に自分の心のうちを表現出来るものではない。おとなですらそうなのだからまして表現力の未熟な、自分でも自分の気持がよくわからない十代のいう言葉を通して、その言葉の出所まで洞察し見極めることは、「心理学の勉強、それによって取得した資格」などで理解出来るものではなかろう。

「学校にカウンセリングを導入する」といった文部省には、せめてその程度のことくらいは考えてもらいたかった。よく考えずに、思いつきを口にするのはやめてくれと私はいいたい。

小杉文部大臣はこの事件の後、「心の教育をしたい」とコメントした。心の教育とはどういう教育かと、殆どの国民は思ったことだろう。その疑問を国会である議員が質問した。すると大臣はこう答えた。

「そのことについてはここで申し上げるほどに十分にまだ考えていませんので、追ってよく考えたいと思います」

「考えない」のは校長先生ばかりじゃない。文部省も文部大臣も考えないのである。

今回もまたマスコミの一部は生活指導の教師が暴力を振ったか振わなかったかを執拗《しつよう》に追及している。

「少年に対する体罰はあったのか、なかったのか。体罰を加えたとされる教師から真相を聞き出そうと自宅を何度となく訪ねたが、インターホンに応答はなかった」

「他の教師に確認しようとしてもすべて『取材拒否』、厳しい箝口令《かんこうれい》を敷いているのは明らかなのである」

どうしてこう大袈裟《おおげさ》なんだろう。箝口令があってもなくても、とにかくうるさいから応答しないだけであることくらい、子供でもわかることだ。誰だってそうする。今、文句をいっているお前さんだって、その立場に立てば逃げるに決っている。

バカバカしくて読んじゃいられない。それが一流新聞社を背景とする週刊誌が威丈高になって考えていることなのだ。少年逮捕の翌々日に校長が生徒にこういったそうだ。

「人に話をする時は、自分で見たことだけを話しなさい。憶測を交えて話をすればそれが独り歩きして人に迷惑がかかる」

これも当然至極の発言だ（現に目撃者だという証言の、何といい加減だったこと

か)。しかしこの週刊誌は、

「と、生徒にクギを刺している」

と書いた。「生徒に注意を促した」ではなく、「クギを刺した」と書くことによって、学校の閉鎖性を指摘しようとしているのだ。

「『事件のことをマスコミにしゃべるな』といわれたと打ち明ける生徒もいる。これではウソをついた校長が、教師と生徒に外部の者に触れないように言い含めているとしか思えない。こんな姿勢では問題が解決するはずもなかろう」

「残虐極まる手口で人の命を奪ってまでも届かせようとした少年の『大怨《だいえん》』をこの学校と校長はこれからも無視し続けるのだろうか」

何をそうのぼせてるんだ。どうなっちゃってるんだアンタたち。もはや「たかがテレビ」「たかが週刊誌」といってはいられない。マスコミ報道の浅はかさについては、一般読者の投書などにも見られるほどだから、もういい、わかってる、もういうな、と苛立《いらだ》つ読者もおられるだろうが、それを承知であえて書き募るのは、ことほど左様に現代は「浅慮」の横行によって本質本道が見失われる時代だということを警告したいからである。

思考の短絡、牽強附会《けんきょうふかい》が社会に渦巻いている。少し沈黙して深く静かに考えようじゃないか。討論会じゃないのだから、とっさに意見をいわなければならないということはないのだ。よく考えずに目先の現象とそこいらに転がっている概念を簡単に拾って繋《つな》げばいいというものではないのだ。

人権人道の大合唱に加わっているうちに、人道とは何かを考えることを忘れ、形だけの人道をふりかざして人道家ぶるという矛盾に気がつくべきではないか。

神戸児童連続殺傷事件が起きて間もなく、メディアが流した目撃証言に「三十から四十代の屈強の男」というのがあった。その頃、私がかねてから尊敬しているスピリチュアリズム研究家のEさんがこんなことをいっていた。

「おかしいんですよね。わたしが霊視すると三十代から四十代じゃなくて、若い細身の男が見えるんですがねえ」

Eさんはいつも謙虚な人なので、ぼくが未熟なためでしょうか、などと反省しながら、「それに目がつり上った顔なんですよ」といっていた。

そのうち「フォーカス」に少年の写真が掲載されたことが騒ぎになった。私は果してその少年の目が「ツリ目」かどうかを確かめたくて、八方手を尽して「フォーカス」を手に入れようとしたが、なかなか手に入らない。やっと手に入れて頁を開き、あっと驚いた。思わず娘を呼んで、「たしかEさんはツリ目といってたよねえ?」と確かめた。Eさんの霊視通り少年の目は細く目尻が上っていたのだ。

私はEさんに「フォーカス」を送った。というのも事件の推移を見ているうちに、私はひそかにこれは憑霊《ひょうれい》ではないかという疑問を抱いていたからである。Eさんに写真を見せてそれを確かめたかったのだ。

私は丁度五十の年から急に、さまざまな超常現象を体験するようになった。それまで目に見えぬものの存在など一切信じなかった私に、これでもか、これでもわからんか、といわんばかりの現象が次々に起ってきたのである。霊魂の存在や死後の世界を否定しようとどう頑張っても、では、この現象をどう解釈するかということになると、結局は心霊の世界を容認せずにはいられない。そんな現象の渦に巻き込まれたのである。

そのあたりから私は世の人々――特に知識人を自負し、科学のみを信じている人たちから「心霊おたく」と嘲笑される立場に立つようになった。その人たちは私の体験を聞くと異口同音にいった。

それは「気のせい」だ。「自己暗示」だ。「誰かの悪戯《いたずら》」だ。「気象」が起した現象にすぎない等々。そして霊の存在を信じるのなら、科学的に証明してみよ、というのがその人たちのキリ札である。

残念なことに現段階では私にその証明は出来ない。私にいえることはただひとつ、「ではあなたたちの科学は、現時点から一歩も先へ進まないということなのですか？」と訊《き》くことだけだ。

例えば江戸時代にクローン羊の実現を語ったら、奇人変人あつかいどころか、牢に入れられたかもしれない。しかし今、科学の進歩によってそれは実在する。これがクローン羊です、とテレビや写真で紹介されると、疑う人は誰もいない。クローン羊が作れる以上、クローン人間を作ることは可能だとすべての人が信じている。

この文明が更に進歩して、科学の力で霊魂の存在を証明出来る時代が絶対に来ないとはいい切れないのではないか？　それが可能になった時、はじめて人はその存在を信じるのだろうが、そういう可能性すらあなたたちは否定しようとするのか。本来、科学者というものは、ないと思われていたもの、不可能とされていたものに向って好奇心と夢をふくらませ更なる可能性を探ろうとするものではなかったのか？

もしかしたら縄文時代の人々はすべて霊感の持主ではなかったかと私は思う。その時代の人たちには今の人間には見えないものが見え、聞えないものが聞えていたのではなかったか。知識は（文明の進歩は）人間の肉体を退化させた。脚力、腕力、視力、聴力、臭覚、咀嚼《そしゃく》力、すべて退化し、脳ミソだけが知識を詰めこんで進化し、科学信仰の時代を作った。神は目に見えないから信じないのである（だが私は目に見えない存在であるからこそ神を信じる）。

しかし現代に生を享《う》けた者の中にも、一部退化しそこなった能力を持っている人がいる。見えないものが見えたり、聞えないものが聞えたり、見えない存在からのメッセージを受けたりする能力の持主である。そういう人たちが存在することは少しも不思議ではないのだが、その能力を金を稼ぐもとにする人、霊能あるふりをする人などが増えてきたこともあって、霊能というものをアタマからインチキあつかいするのがインテリのしるし、と思いこむ人が少くない。ミソもクソも「いっしょくた」に論じるのは現代の風潮であるから、反論するのに骨が折れる。

それでも私はあえて、あることをここに書こうと決心した。なぜ無駄だと思われるそんなことを書く決心をしたか、それをこれから説明しよう。

話を戻してつづけよう。

私の想像は当っていたのである。霊視の結果、少年には悪霊が憑依《ひょうい》しているとE

さんはいった。しかし少年に憑依した悪霊（浮遊する怨《うら》みの意識）が、どういう霊魂であるかはここではいわない。世の中にはそういうことだけに興味を持って興奮したり誤解したりして、ものごとの核心を踏み消してしまう人が多いからである。

近年、かつてはなかった（人の想像を超えた）しかも原因のよくわからない非人間的な殺傷事件が若年層に起きている。以前の殺傷事件は、貧しいから、憎いから、不幸だから、欲望が抑えられなかったから、カッとなったからなどと、ひとつひとつに原因らしいものがあり、本人もそれを説明することが出来た。

だが近頃はその残虐さのわけがわからない。殺傷者自身も説明のしようがない。狂気のようなそうでないような、ただ激情にとり憑《つ》かれたとしかいいようのない事件が増えてきている。

現在を生きる人の心から（かつては日本人のすべてが持っていた）人の情というものが見失われてきた。そのために悪霊（怨み、憎しみの意識）が浄化されずにはびこるようになった。私はそう思う。何の罪もない無垢な少年の首を斬って、その頭に細工をほどこすという非人間的な行為は学校のせいであったり家庭のせいだというような単純なものではない。これはただならぬものの仕わざであると考えるのは、最も素直な「人間らしい」感じ方だ。

だが知識に煩わされた現代人は、驚愕《きょうがく》と同時に、「なぜか」を考える。分析に憂身をやつす。理窟をいっているうちにこのただごとならぬ仕わざに怖れおののくという実感が消えていく。私が怖ろしいと思うのは何よりもそのことである。

写真週刊誌に少年の写真をのっけるのは怪しからんとか、いや出すのは正しいとか、そんなことはたいした問題ではないのだ。問題は怖れるべきことを怖れず、泣くべきを泣かず、怒るべきを怒らない無機質な人間へと日本人が変質しつつあることだ。これが昔ならすべての人が単純に素直に怖れおののいて、悪《あ》しきものに心を占領されないよう、世の中を浄《きよ》め、自分の心身を清浄に保とうと反省したことだろう。かつての日本人は無智かもしれないが謙虚だった。怖れを知っていた。

今、日本人は古来から持ちつづけ、美しいものとされてきた自然の情愛を捨て、観念によって動くようになってしまった。そのやさしさは人の心の奥から湧《わ》き水のように湧き出てくるやさしさではなく、やさしくなければいけないからやさしくしようというやさしさだ。無機質な、観念的なやさしさだ。人も社会も無機質になった。この変質がA少年のような少年を作り出す（心霊的にいえば憑霊現象を招いている）。

もう三十年近く私は病院という所のご厄介になったことがない。その理由は病院が「怖い」からである。なぜ怖いか。私は病院を司《つかさど》っている合理主義が怖いのである。

病院に一歩足を踏み入れたが最後、我々は意志や感情のない「物」にならなければならない。医師が検査をしなさいというと、その必要はないことがわかっていても、なぜかそこにはいやとはいえない力が働いていて、我々はベルトコンベアーに載せられた「物」となって検査室へ運ばれる。まず第一にそれが怖い。

医師は検査のデーターをあれこれ照合して病気についての判断を下す。私が尊敬し信頼していたかつての内科のお医者さんは、耳につけた聴診器を病人の身体《からだ》に当てて、目には見えない人の身体の中にじっと耳を澄まして、病人の皮膚の色艶《いろつや》を見、身体に触れ、その触覚を通して肉体の異常、訴えを聞き取ろうとした。その時の医師の、医師なればこその深い沈思の表情に私たちはいうにいわれぬ尊敬と信頼感を呼び起されたものだった。

病気を癒《いや》すのは医師と薬だけではない。半分は病人自身の治ろうとする気力だとよくいわれる。だがその気力は医師への信頼感によって呼び起されるものではないのだろうか。

「よろしい。はい、大丈夫」の医師の一言が(大丈夫でなくてもそういう力強い一言が)どれだけ患者を慰め力づけるものか。データーと睨《にら》めっこして、患者の顔もろくに見ない医師はそれを知らない。

病院へ行ったが最後、どんな目に遭うかわからない、と私は思う。医師が関心を持つのは病人ではなく「病巣」だ。当り前じゃないか、それが病院だ、と人はいう。その通りにちがいない。だが私はその「当り前」さがいやなのだ。「病巣相手」ではなく「人間を相手」にしてもらいたい。「物」として私は死にたくない。たとえ病巣の発見が遅れようとも。

現代医学は人間を「物」として考えることによって進歩した。そうして今は臓器移植が医師の大きな関心事になっている。いらなくなった内臓を必要な人に利用してもらう——これぞ究極の合理主義である。そのために脳死を人の死とするか、心臓停止を死とするかを国が決めなければならなくなった。「とりたてホヤホヤの内臓」でなければ役に立たないためだ。

私は戦時中の廃物利用を思い出す。我々はドラム缶の廃物を風呂桶にした。古物商は古ミシンの部分品を別のミシンにつけ替えて売った。死者は廃物か？　死者には「尊厳」など要らぬというのか？

そんな意見の私は、「お前は苦しんでいる人の気持がわからないのか！」と決めつけられた。不用の内臓によって苦しみから救われる人がいるのなら結構なことじゃないかと。人の内臓のお古を貰《もら》って、どれだけ健康になれるものか私にはわからないが、「人の苦しみを取り除き、新しい命を与える」という人道主義めいた発想（確信）の裏側で、人間を物として見る感性が育っていく。私はそれが怖い。

ついこの間クローン羊のニュースが走ったと思ったら、アメリカでは遺伝子操作によって豚に人間の遺伝子を組み込み、形は豚だが内臓は人間ナミという豚を作る試みがなされているという。脳死した人の臓器が、増える一方の需要に追いつかないので考え出されたのだそうである。

すべての人が苦しむことのない、快適に、便利に、自由に、したいことをし、らくをして生きる世の中を作るために、合理主義が一番の価値観になった。苦しみは耐えねばならぬものではなく、合理主義によって駆逐されるべきものになった。

日本ではもともと親が子を思い、子が親を思う自然の情、夫婦の情愛、友達を求め愛する情、小さいもの弱いものをいつくしむ情など、目に見えぬ情愛の糸で社会がつながっていた。

だがそのつながりから生れる喜怒哀楽を煩わしいと感じ、矛盾相克の悩みを解消して「スッキリ生きる」のを可とする風潮が生れ、今はそれが当り前で疑問を抱く人すらいなくなった。

人が老いれば若い人たちの迷惑にならぬよう、老人自らが望んで老人ホームへ行く。情を断ち孤独に徹する覚悟を決めるのが当り前のこととして誰も疑いを持たない。

飼犬が邪魔になれば捨てる。あまりに捨犬が多いので、仕方なくペット殺しのガス室を設備した町もある。そこへ連れて行って箱の中に入れておけば、翌日には簡単に「処理」されるのだ。そうすれば野犬が街をうろつくこともないし、飼主も雨が降るにつけ風が吹くにつけ、捨てた犬のことを思って心が乱れることもない。死んだとなれば、もうそれでオシマイにしてしまえるのである。

小学校で生徒の情操教育のために兎《うさぎ》を飼ったところ、兎が子を産んだ。その世話を生徒がしきれないというので、先生は生れた子を土に埋めて殺した。

我々は何ごとも深く考えない口舌《こうぜつ》の徒、考えないばかりか感じもしない無機質な日本人になりつつある。神戸殺人少年はそんな土壌に咲く悪魔の花のように出てきたのだ。

霊の存在を一笑に付す人々も、現代人が変質したことだけは認める筈《はず》である。文明の進歩の中で行き詰りを感じている人は少くない筈だ。感じていながら、どこにどう手をつければいいのかわからない。だが、命を、生や死を、物としていじくることを文明の進歩だと考えることの傲慢《ごうまん》を反省する時が来ていることだけは確かだ。幾つかの非人間的な犯罪が私たちに教えていることは、校長や教師や父母家庭をほじくり批判することなんかではない筈である。あるいは少年Aは私たちにそれを教えるために神によってつかわされた犠牲の人といえるかもしれない。

それにしても人間が神の領域を侵しつつあることに、宗教にたずさわる人たちはなぜ沈黙しているのだろう？

あとがき

このエッセイ選集の一巻二巻を読んだ何人かの人から、佐藤さんの考え方は四十年前から今まで、全く変っていませんねえ、といわれた。それはホメ言葉なのか、ただ呆《あき》れているのかよくわからないが、そういわれてみると私の人生観、人間観、主義主張、なるほど少しも変っていないなアと改めて気がついた。

しかしそうはいうものの、七巻八巻（執筆時期、六十五歳から七十歳過ぎまで）に到って、かつての毒舌の冴えが衰えてきている。毒舌の衰えは私の場合、エネルギーの衰えに通じる。人生への情熱、心身の衰えといってもいいかもしれない。十年一日のごとく文句をヒネリ出していることに飽きたともいえよう。かつての私の毒舌、ヒネリ、憤激はこの社会を作る人々への、特に男性への応援歌のつもりだったのだ。（信じてもらえてももらえなくてもそうだったのである）

衰えの中で最後にイッパツ、毒舌をぶっ放すとしたら、こうだ。

「そうらごらん。今の日本の男、社会のありよう、私がいうた通りになってしもうたやないのン！」

このエッセイ選集は八巻で終るが、出来れば私の死後、七十歳から八十歳までのもう一巻を足すことが出来れば私の戯文家としての一生も完結するだろうと思う。しかしその最後の一巻はおそらく老残の独り言めいてくるにちがいなく、かくして人間はみなこのように、それなりの栄枯盛衰の途を辿《たど》るのだという、よい見本になるだろう。

平成十九年

集英社文庫

自讃ユーモアエッセイ集

これが佐藤愛子だ　全八巻

©村上豊

昭和から平成へ、移りゆく世相を描く痛快無比のエッセイの傑作。

❶
第一章「さて男性諸君」、第二章「こんないき方もある」、第三章「愛子の小さな冒険」、第四章「愛子のおんな大学」、第五章「私のなかの男たち」

❷
第一章「丸裸のおはなし」、第二章「坊主の花かんざし(一)」、第三章「坊主の花かんざし(二)」、第四章「坊主の花かんざし(三)」、第五章「坊主の花かんざし(四)」

❸
第一章「朝雨　女のうでまくり」、第二章「女の学校」、第三章「こんな幸福もある」、第四章「娘と私の部屋」、第五章「男の学校」、第六章「一天にわかにかき曇り」

❹
第一章「娘と私の時間」、第二章「枯れ木の枝ぶり」、第三章「愛子の日めくり総まくり」、第四章「愛子の新・女の格言」、第五章「こんな考え方もある」

❺
第一章「女の怒り方」、第二章「日当りの椅子」、第三章「古川柳ひとりよがり」

❻
第一章「幸福という名の武器」、第二章「男と女のしあわせ関係」、第三章「老兵は死なず」、第四章「娘と私のただ今のご意見」、第五章「こんな暮らし方もある」

❼
第一章「憤怒のぬかるみ」、第二章「何がおかしい」、第三章「こんな女もいる」、第四章「こんな老い方もある」、第五章「上機嫌の本」、第六章「死ぬための生き方」

❽
第一章「娘と私と娘のムスメ」、第二章「戦いやまず日は西に」、第三章「我が老後」、第四章「なんでこうなるの」、第五章「だからこうなるの」、第六章「老残のたしなみ」

佐藤愛子の全エッセイから傑作・秀作を再編集。（全巻完結好評発売中）

集英社文庫　目録（日本文学）

さくらももこ　ももこのいきもの図鑑
さくらももこ　もものかんづめ
さくらももこ　さるのこしかけ
さくらももこ　たいのおかしら
さくらももこ　まるむし帳
さくらももこ　あのころ
さくらももこ　のほほん絵日記
さくらももこ　まる子だった
さくらももこ 土屋賢二　ツチケンモモコラーゲン
さくらももこ　ももこの話
さくらももこ　ももこの宝石物語
さくらももこ　さくら日和
佐々木譲　冒険者カストロ
佐々木譲　帰らざる荒野
佐々木良江　ユーラシアの秋
定金伸治　ジハード1 猛き十字のアッカ

定金伸治　ジハード2 こぼれゆく者のヤーファ
定金伸治　ジハード3 氷雪燃え立つアスカロン
定金伸治　ジハード4 神なき瞳に宿る焔
定金伸治　ジハード5 集結の聖都
定金伸治　ジハード6 主よ一握りの憐れみを
佐藤愛子　花は六十
佐藤愛子　憤怒のぬかるみ
佐藤愛子　死ぬための生き方
佐藤愛子　娘と私と娘のムスメ
佐藤愛子　戦いやまず日は西に
佐藤愛子　結構なファミリー
佐藤愛子　風の行方(上)(下)
佐藤愛子　こたつの人 自讃ユーモア短篇集一
佐藤愛子　大黒柱の孤独 自讃ユーモア短篇集二
佐藤愛子　不運は面白い 幸福は退屈だ 人間についての断章326
佐藤愛子　老残のたしなみ 日々是上機嫌

佐藤愛子　不敵雑記 たしなみなし
佐藤愛子　自讃ユーモアエッセイ集 これが佐藤愛子だ 1〜8
佐藤賢一　ジャガーになった男
佐藤賢一　傭兵ピエール(上)(下)
佐藤賢一　赤目のジャック
佐藤賢一　王妃の離婚
佐藤賢一　カルチェ・ラタン
佐藤賢一　オクシタニア(上)(下)
佐藤正午　永遠の½
佐藤正午　カップルズ
佐藤正午　きみは誤解している
佐藤初女　おむすびの祈り 「森のイスキア」こころの歳時記
佐藤真由美　恋する短歌 22 short love stories
佐藤真由美　恋する歌《か》音《おん》 こころに効く恋愛短歌50
佐藤真由美　プライベート
佐藤真由美　恋する四字熟語

集英社文庫　目録（日本文学）

集英社文庫　目録（日本文学）

篠田節子　女たちのジハード
篠田節子　インコは戻ってきたか
篠田節子　百年の恋
司馬遼太郎　歴史と小説
司馬遼太郎　手掘り日本史
柴田よしき　桜さがし
柴田よしき　水底の森(上)(下)
柴田錬三郎　貧乏同心御用帳
柴田錬三郎　江戸っ子侍(上)(下)
柴田錬三郎　宮本武蔵　決闘者1～3
柴田錬三郎　全一冊 江戸群盗伝
柴田錬三郎　柴錬水滸伝　われら梁山泊の好漢(一・二・三)
柴田錬三郎　徳川太平記(上)(下)
柴田錬三郎　英雄三国志一　義軍立つ
柴田錬三郎　英雄三国志二　覇者の命運
柴田錬三郎　英雄三国志三　三国鼎立
柴田錬三郎　英雄三国志四　出師の表
柴田錬三郎　英雄三国志五　攻防五丈原
柴田錬三郎　英雄三国志六　夢の終焉
柴田錬三郎　われら九人の戦鬼(上)(下)
柴田錬三郎　新篇　眠狂四郎京洛勝負帖
柴田錬三郎　新編　武将小説集　かく戦い、かく死す
島崎藤村　初恋―島崎藤村詩集
島田明宏　「武豊」の瞬間
島田雅彦　自由死刑
島田雅彦　子どもを救え！
島田洋七　がばいばあちゃん　佐賀から広島へ めざせ甲子園
島村洋子　恋愛のすべて。
志水辰夫　あした蜉蝣《かげろう》の旅(上)(下)
志水辰夫　生きいそぎ
清水博子　街の座標
清水博子　処方箋
清水義範　騙し絵日本国憲法
清水義範　偽史日本伝
清水義範　開国ニッポン
清水義範　日本語の乱れ
清水義範　博士の異常な発明
清水義範　新アラビアンナイト
下重暁子　鋼《はがね》の人《ひと》　最後の瞽女《ごぜ》・小林ハル
下重暁子　不良老年のすすめ
下重暁子　「ふたり暮らし」を楽しむ　不良老年のすすめ
庄司圭太　地獄沢　観相師南龍覚え書き
庄司圭太　孤剣　観相師南龍覚え書き
庄司圭太　謀殺の矢　花奉行幻之介始末
庄司圭太　闇の鴆毒《ちんどく》　花奉行幻之介始末
庄司圭太　逢魔《おうま》の刻《とき》　花奉行幻之介始末
庄司圭太　修羅の風　花奉行幻之介始末
庄司圭太　暗闇坂　花奉行幻之介始末